LES ROMANS DE ROBBE-GRILLET

Bruce Morrissette est né le 26 avril 1911 à Richmond (Virginie, U.S.A.). Etudes à l'université de Richmond, à l'université de Clermont-Ferrand (France) et à Johns Hopkins University (Baltimore, Maryland, U.S.A.).

Docteur de l'université de Clermont (1933), docteur Ph.D. à la Johns Hopkins University (1938), il a été professeur de littérature française à Washington University (Saint-Louis, Missouri, U.S.A.) de 1939 à 1961. En 1962, il a été nommé professeur de littérature française à l'université de Chicago (Illinois). Il a bénéficié d'une bourse Guggenheim en 1958-59.

Auteur d'articles de critique et d'histoire littéraire dans *Modern Languages Notes, French Review, Comparative Literature, Chicago Review, Symposium, Evergreen Review, Wisconsin Studies in Contemporary Literature, Critique, Il Verri, Saggi e ricerche di letteratura francese, Cahiers de l'association internationale des études françaises*, etc., il a fait publier les ouvrages suivants : *Les Aspects fondamentaux de l'esthétique symboliste* (Clermont-Ferrand, 1933), *The Life and Works of Marie-Catherine Desjardins* (Saint-Louis, 1947), *The Great Rimbaud Forgery* (Saint-Louis, 1956), *La Bataille Rimbaud* (Paris, Nizet, 1959).

BRUCE MORRISSETTE

LES ROMANS DE ROBBE-GRILLET

Préface de Roland Barthes

LES ÉDITIONS DE MINUIT

PRÉFACE

« Ne leur donnez pas de nom... Ils pourraient avoir eu tant d'autres aventures. »

(*L'année dernière à Marienbad.*)

L'intention réaliste de notre littérature est singulière. Le réel est-il donc si perdu que, pour le retrouver, il faille mobiliser à chaque fois une institution, une tradition, un marché, une technique, un talent ou même un génie ? On dirait qu'en fait, l'exercice d'une certaine distance (*et partant d'une certaine* fonction) *est nécessaire à l'écrivain moderne : il lui faut croire (par quelle nécessité ?) qu'il y a d'un certain côté le réel et de l'autre le langage, que l'un est antécédent à l'autre et que le second a pour tâche en quelque sorte de courir après le premier jusqu'à ce qu'il le rattrape. Pourquoi cette vocation analogique de notre littérature ? C'est probablement une certaine disposition des modèles eux-mêmes qui répond : le réel qui « s'offre » à l'écrivain peut être sans doute multiple : ici psychologique, là théologique, social, politique, historique ou même imaginaire, chacun à son tour détrônant l'autre ; ces réels ont cependant un trait commun, qui explique la constance de leur projection : ils semblen tous et tout de suite pénétrés de sens : une passion, une faute, un conflit, un rêve renvoient fatalement à une certaine transcendance, âme, divinité, société ou surnature, en sorte que toute notre littérature réaliste est non seulement analogique, mais encore signifiante.*

Parmi tous ces réels, psychologiques et sociaux, l'objet lui-même n'avait guère de place originale ; pen-

dant longtemps, la littérature n'a traité qu'un monde de rapports inter-humains (dans les Liaisons Dangereuses, *si l'on parle d'une harpe, c'est qu'elle sert à cacher un billet d'amour) ; et lorsque les choses, outils, spectacles ou substances, ont commencé à paraître avec quelque abondance dans nos romans, ce fut à titre d'éléments esthétiques ou d'indices humains, pour mieux renvoyer à quelque état d'âme (paysage romantique) ou à quelque misère sociale (détail réaliste). On sait que l'œuvre d'Alain Robbe-Grillet traite de ce problème de l'objet littéraire ; les choses sont-elles inductrices de sens, ou bien au contraire sont-elles « mates » ? L'écrivain peut-il et doit-il décrire un objet sans le renvoyer à quelque transcendance humaine ? Signifiants ou insignifiants, quelle est la fonction des objets dans un récit romanesque ? En quoi la façon dont on les décrit modifie-t-elle le sens de l'histoire ? la consistance du personnage ? le rapport même à l'idée de littérature ? Maintenant que cette œuvre s'est développée et que le cinéma lui a donné un nouveau souffle et un second public, ce sont des questions qu'on peut lui poser d'une façon nouvelle. Selon la réponse, on s'apercevra vite que l'on dispose, avec l'aide de Robbe-Grillet lui-même, de* deux *Robbe-Grillet : d'un côté le Robbe-Grillet des choses immédiates, destructeur de sens, esquissé surtout par la première critique ; et d'un autre, le Robbe-Grillet des choses médiates, créateur de sens, dont Bruce Morrissette va se faire ici même l'analyste.*

Le premier Robbe-Grillet (il ne s'agit pas ici d'une antériorité temporelle, mais seulement d'un ordre de classement), le premier Robbe-Grillet décide que les choses ne signifient rien, pas même l'absurde (ajoute-t-il à juste titre), car il est évident que l'absence de sens peut très bien être un sens. Mais comme ces mêmes choses sont enfouies sous un amas de sens variés, dont les hommes, à travers des sensibilités, des poésies et des usages différents ont imprégné le nom de tout objet, le travail du romancier est en quelque sorte cathartique :

il purifie les choses du sens indu que les hommes sans cesse déposent en elles. Comment ? Evidemment par la description. Robbe-Grillet produit donc des descriptions d'objets suffisamment géométriques pour décourager toute induction vers le sens poétique de la chose ; et suffisamment minutieuses pour couper la fascination du récit ; mais par là-même, il rencontre le réalisme ; comme les réalistes, il copie, ou du moins semble copier un modèle ; en termes formels, on pourrait dire qu'il fait comme si son roman n'était que l'événement qui vient accomplir une structure antécédente : peu importe que cette structure soit vraie *ou non, et que le réalisme de Robbe-Grillet soit objectif ou subjectif ; car ce qui définit le réalisme, ce n'est pas l'origine du modèle, c'est son extériorité à la parole qui l'accomplit. D'une part le réalisme de ce premier Robbe-Grillet reste classique parce qu'il est fondé sur un rapport d'analogie (le quartier de tomate décrit par Robbe-Grillet ressemble au quartier de tomate réel) ; et d'autre part il est nouveau parce que cette analogie ne renvoie à aucune transcendance mais prétend survivre fermée sur elle-même, satisfaite lorsqu'elle a désigné nécessairement et suffisamment le trop fameux* être-là *de la chose (ce quartier de tomate est décrit de telle sorte qu'il n'est censé provoquer ni envie ni dégoût, et ne signifier ni la saison, ni le lieu, ni même la nourriture).*

Il est évident que la description ne peut ni épuiser le tissu du roman, ni satisfaire l'intérêt qu'on en attend traditionnellement : il y a bien d'autres genres que la description dans les romans de Robbe-Grillet. Mais il est évident aussi qu'un petit nombre de descriptions à la fois analogiques et insignifiantes, selon la place que l'auteur leur donne et les variations qu'il y introduit, suffit à modifier complètement le sens général du roman. Tout roman est un organisme intelligible d'une infinie sensibilité : le moindre point d'opacité, la moindre résistance (muette) au désir qui anime et emporte toute lecture, constitue un étonnement *qui se reverse sur l'ensemble de l'œuvre. Les fameux objets de Robbe-Grillet n'ont donc nullement une valeur anthologique ; ils engagent véritablement l'anecdote elle-même et les personnages qu'elle rassemble dans une sorte de silence de la signification. C'est pourquoi la conception que l'on peut avoir d'un Robbe-Grillet « chosiste » ne peut être qu'unitaire, et pour ainsi dire totalitaire : il y a une récurrence fatale de l'insignifiance des choses à l'insignifiance des situations et des hommes. Il est en effet très possible de lire toute l'œuvre de Robbe-Grillet (du moins jusqu'au* Labyrinthe) *d'une façon* mate ; *il suffit de rester à la surface du texte, étant bien entendu qu'une lecture* superficielle *ne saurait plus être condamnée au nom des anciennes valeurs d'intériorité. C'est même certainement le mérite de ce premier Robbe-Grillet (fût-il fictif) que de démystifier les qualités prétendues naturelles de la Littérature d'introspection (le* profond *étant de droit préférable au* superficiel) *au profit d'un* être-là *du texte (qu'il ne faut surtout pas confondre avec l'*être-là *de la chose même), et de refuser en quelque sorte au lecteur la jouissance d'un monde «* riche *», « profond », « secret », bref signifiant. Il est évident que selon Robbe-Grillet n° 1, l'état névrosé ou pathologique de ses personnages (l'un œdipéen, l'autre sadique et le troisième obsédé) n'a nullement la valeur traditionnelle d'un* contenu, *dont les éléments du roman seraient les symboles plus ou moins médiats, et qui s'offriraient au déchiffrage du lecteur (ou du critique) : cet état n'est que le terme purement formel d'une fonction : Robbe-Grillet semble alors manier un certain contenu parce qu'il n'y a pas de littérature sans signe et de signe sans signifié ; mais tout son art consiste précisément à* décevoir *le sens dans le temps même qu'il l'ouvre. Nommer ce contenu, parler de folie, de sadisme ou même de jalousie, c'est donc dépasser ce que l'on pourrait appeler le meilleur niveau de perception du roman, celui où il est parfaitement et immédiatement intelligible, tout comme regarder une reproduction photographique de très près, c'est sans doute en percer le secret typographique, mais c'est aussi ne plus rien comprendre à l'objet qu'elle représente. Il va de soi que cette* déception du sens, si elle était authentique, ne serait nullement gratuite : provoquer le sens pour l'arrêter, ce n'est rien d'autre que de prolonger une expérience qui a son origine moderne dans l'activité surréaliste et qui engage l'être même de la littérature, c'est-à-dire en définitive la fonction anthropologique qu'elle détient au sein de la société historique tout entière. Telle est l'image du Robbe-Grillet n° 1 que l'on peut former à partir de certains des écrits théoriques et des romans, à quoi il faut ajouter en général les commentaires de la première heure.

De ces mêmes écrits et de ces mêmes romans, (mais non, bien entendu, de ces mêmes commentaires), on peut d'ailleurs très bien tirer l'image d'un Robbe-Grillet n° 2, non plus « chosiste », mais « humaniste », puisque les objets, sans pour autant redevenir des symboles, au sens fort du terme, y retrouvent une fonction médiatrice vers « autre chose ». De cette seconde image, Bruce Morrissette se fait ici même, tout au long de l'étude qu'on va lire, le constructeur minutieux. Sa méthode est à la fois descriptive et comparative : d'une part, il raconte patiemment les romans de Robbe-Grillet, et ce récit lui sert à reconstituer l'agencement souvent très retors des épisodes, c'est-à-dire en somme la structure de l'œuvre, dont personne ne s'était occupé jusqu'à présent ; et d'autre part, une science étendue lui permet de rapporter ces épisodes (scènes ou descriptions d'objets) à des modèles, à des archétypes, à des sources, à des échos, et de rétablir ainsi la continuité culturelle qui unit une œuvre réputée « mate » à tout un contexte littéraire, et par conséquent humain. La méthode de Bruce Morrissette produit en effet de Robbe-Grillet une image « intégrée », ou, mieux encore, réconciliée avec les fins traditionnelles du roman ; elle réduit sans doute la part révolutionnaire de l'œuvre, mais établit en revanche les raisons excellentes que le public peut avoir de se retrouver en Robbe-Grillet (et le succès critique du Labyrinthe, la carrière publique de Marienbad semblent lui donner *tout à fait raison*). *Ce Robbe-Grillet n° 2 ne dit pas comme Chénier :* Sur des pensers nouveaux, faisons des vers antiques. *Il dit au contraire :* Sur des pensers anciens, faisons des romans nouveaux.

Sur quoi porte cette réconciliation ? D'abord évidemment sur ces fameux « objets », dont on avait cru tout d'abord pouvoir affirmer le caractère neutre, insignifiant. Bruce Morrissette reconnaît l'originalité de la vision robbe-grilletiste des choses, mais il ne pense pas que dans cet univers, l'objet soit coupé de toute référence et qu'il cesse radicalement d'être un signe ; il n'a aucune peine à repérer dans les collections de Robbe-Grillet quelques objets, sinon obsessionnels, du moins suffisamment répétés pour induire à un sens (*car ce qui se répète est censé signifier*). *La gomme* (des Gommes), *la cordelette* (du Voyeur), *le mille-pattes* (*de la* Jalousie), *ces objets, repris, variés au long du roman, renvoient tous à un acte, criminel ou sexuel, et au-delà de cet acte, à une intériorité. Bruce Morrissette s'interdit cependant d'y voir des symboles ; d'une façon plus retenue* (*mais peut-être un peu spécieuse ?*), *il préfère les définir comme de simples supports de sensations, de sentiments, de souvenirs ; de la sorte, l'objet devient un élément contrapuntique de l'œuvre ; il fait partie de l'histoire au même titre qu'une péripétie, et c'est certainement l'un des grands apports de Bruce Morrissette à la critique de Robbe-Grillet que d'avoir su retrouver un récit dans chacun de ces romans ; grâce à des résumés minutieux, scrupuleux, Bruce Morrissette montre très bien que le roman de Robbe-Grillet est une « histoire » et que cette histoire a un sens : œdipéen, sadique, obsessionnel, ou même simplement littéraire, si le* Labyrinthe, *comme il le pense, est l'histoire d'une création ; sans doute cette « histoire » n'est pas composée d'une façon traditionnelle, et Bruce Morrissette, attentif au modernisme de la technique, met fort bien en relief les variations et les complexités du « point de vue » narratif, les distorsions imposées par Robbe-Grillet à la chronologie et son refus de l'analyse psychologique* (*mais non de la psychologie). Il n'en reste pas moins que, pourvu de nouveau d'une histoire, d'une psychologie (pathologique) et d'un matériel, sinon symbolique, du moins référentiel, le roman robbe-grilletiste n'est plus du tout l'épure « plate » de la première critique : c'est un objet plein, et plein de secrets ; alors la critique doit se mettre à scruter ce qu'il y a derrière cet objet et autour de lui : elle devient déchiffreuse et herméneutique : elle cherche des « clés » (et en général les trouve). C'est ce qu'a fait Bruce Morrissette pour les romans de Robbe-Grillet : on reconnaîtra le courage du critique qui ose tout de suite et à propos d'un écrivain non seulement contemporain mais encore fort jeune, user d'une méthode de déchiffrement qu'on a mis chez nous quelque demi-siècle à appliquer à des auteurs comme Nerval et Rimbaud.*

Entre les deux Robbe-Grillet, le Robbe-Grillet n° 1, « chosiste », et le Robbe-Grillet n° 2, « humaniste », entre celui de la toute première critique et celui de Bruce Morrissette, faut-il choisir ? Robbe-Grillet lui-même n'y aidera nullement ; comme tout auteur, et en dépit de ses déclarations théoriques, il est, sur son œuvre même, constitutivement ambigu : de plus, c'est évident, son œuvre change, et c'est son droit. Et c'est au fond cette ambiguïté qui compte, c'est elle qui nous concerne, c'est elle qui porte le sens historique d'une œuvre qui semble péremptoirement refuser l'histoire. Quel est ce sens ? L'envers même du sens, c'est-à-dire une question. *Qu'est-ce que les choses signifient, qu'est-ce que le monde signifie ? Toute littérature est cette question, mais il faut tout de suite ajouter, car c'est ce qui fait sa spécialité :* c'est cette question moins sa réponse. *Aucune littérature au monde n'a jamais répondu à la question qu'elle posait, et c'est ce suspens même qui l'a toujours constituée en littérature : elle est ce très fragile langage que les hommes disposent entre la violence de la question et le silence de la réponse : à la fois religieuse et critique dans le temps qu'elle interroge, elle est à la fois irréligieuse et conservatrice dans le temps même qu'elle ne répond pas : question elle-même, c'est la question que les siècles interrogent en elle, ce n'est pas la réponse. Quel dieu, disait Valéry, oserait prendre pour devise :* Je déçois ? *La littérature serait ce dieu ; peut-être sera-t-il possible un jour de décrire toute la littérature comme l'art de la déception. L'histoire de la littérature ne sera plus alors l'histoire des réponses contradictoires apportées par les écrivains à la question du sens, mais bien au contraire l'histoire de la question elle-même.*

Car il est évident que la littérature ne saurait poser directement la question qui la constitue et qui est seule à la constituer : elle n'a pu et ne pourra jamais étendre son interpellation à la durée du discours, sans passer par le relais de certaines techniques ; et si l'histoire de la littérature est en définitive l'histoire de ces techniques, ce n'est pas parce que la littérature n'est que technique (comme on feignait de le dire au temps de l'art pour l'art), *mais parce que la technique est la seule puissance capable de suspendre le sens du monde et de maintenir ouverte la question impérative qui lui est adressée ; car ce n'est pas* répondre *qui est difficile, c'est questionner, c'est parler en questionnant et répondre en se taisant. De ce point de vue, la « technique » de Robbe-Grillet a été, à un certain moment, radicale : lorsque l'auteur pensait qu'il était possible de « tuer » directement le sens, de façon que l'œuvre ne laissât filtrer que l'étonnement fondamental qui la constitue (car écrire, ce n'est pas affirmer, c'est s'étonner). L'originalité de la tentative venait alors de ce que la question n'était affublée d'aucune fausse réponse, sans pour autant, bien entendu, être formulée en termes de question ; l'erreur (théorique) de Robbe-Grillet était seulement de croire qu'il y a un* être-là *des choses, antécédent et extérieur au langage, que la littérature aurait à charge, pensait-il, de retrouver dans un dernier élan de réalisme. En fait, anthropologiquement, les choses signifient tout de suite, toujours et de plein droit ; et c'est précisément parce que la signification est leur condition en quelque sorte « naturelle », qu'en les dépouillant simplement de leur sens, la littérature peut s'affirmer comme un artifice admirable : si la « nature » est signifiante, un certain comble de la « culture » peut être de la faire « dé-signifier ». D'où, en toute rigueur, ces descriptions mates d'objets, ces anecdotes récitées « en surface », ces personnages sans confidence, qui font, selon du moins une certaine lecture, le style, ou si l'on préfère, le choix de Robbe-Grillet.*

Cependant ces formes vides appellent irrésistiblement un contenu, et l'on voit peu à peu, dans la critique, dans l'œuvre même de l'auteur, des tentations de sentiments, des retours d'archétypes, des fragments de symboles, bref tout ce qui appartient au règne de l'adjectif, se glisser dans le superbe « être-là » des choses. En ce sens, il y a une évolution de l'œuvre de Robbe-Grillet, qui est faite paradoxalement à la fois par l'auteur, la critique et le public : nous faisons tous partie de Robbe-Grillet, dans la mesure où nous nous employons tous à renflouer le sens des choses, dès qu'on l'ouvre devant nous. Considérée dans son développement et dans son avenir (qu'on ne saurait lui assigner), l'œuvre de Robbe-Grillet devient alors l'épreuve du sens *vécu par une certaine société, et l'histoire de cette œuvre sera à sa manière l'histoire de cette société. Déjà le sens revient : chassé du fameux quartier de tomate des* Gommes *(mais sans doute déjà présent dans la gomme elle-même, comme le montre Bruce Morrissette), il emplit* Marienbad, *ses jardins, ses lambris, ses manteaux de plume. Seulement, cessant d'être nul, le sens est encore ici diversement conjectural : tout le monde a expliqué* Marienbad, *mais chaque explication était un sens immédiatement contesté par le sens voisin : le sens n'est plus déçu, il reste néanmoins suspendu. Et s'il est vrai que chaque roman de Robbe-Grillet contient « en abyme » son propre symbole, nul doute que la dernière allégorie de cette œuvre ne soit cette statue de Charles III et de son épouse, sur laquelle s'interrogent les amants de* Marienbad : *admirable symbole d'ailleurs, non seulement parce que la statue elle-même est inductrice de sens divers, incertains, et cependant nommés* (c'est vous, c'est moi, ce sont des dieux antiques, Hélène, Agamemnon, *etc.*), *mais encore parce que le prince et son épouse y désignent du doigt d'une façon certaine un objet incertain* (*situé dans la fable ? dans le jardin ? dans la salle ?*) : ceci, *disent-ils. Mais quoi,* ceci ? *Toute la littérature est peut-être dans cet anaphorique léger qui tout à la fois désigne et se tait.*

ROLAND BARTHES

« Je considérerai les actions des hommes et leurs passions comme s'il était question de lignes, de surfaces ou de volumes. »

SPINOZA.

CHAPITRE PREMIER

UN NOUVEL ART DU ROMAN : LES ÉCRITS THÉORIQUES (1953-1962)

« Une technique romanesque renvoie toujours à la métaphysique du romancier. »
Sartre. *Situations I.*

Le rôle de chef d'école du Nouveau Roman qui lui est attribué un peu partout, Robbe-Grillet le doit autant à ses écrits théoriques qu'à des créations romanesques qui toutes, des *Gommes* (1953) à *l'Année dernière à Marienbad* (1961), marquent une étape importante dans l'évolution du genre. Il ne s'agira pas dans cette étude de procéder à une analyse minutieuse des idées théoriques de Robbe-Grillet, non plus que de les situer dans l'ensemble des débats en cours sur les fondements esthétiques et philosophiques du roman contemporain. Les nombreuses références à certaines de ces idées que le lecteur trouvera dans les présents essais seront toujours établies en liaison avec un caractère particulier d'une œuvre donnée, le but de chaque rapprochement étant d'éclaircir tel ou tel aspect de l'œuvre, et jamais de discuter sur le plan théorique les mérites de l'idée en question.

Il convient néanmoins de retracer rapidement le développement de ces théories, qui ont eu un grand retentissement, et de signaler quels problèmes a posés l'apparente divergence que de nombreux critiques ont cru déceler entre les idées théoriques de Robbe-Grillet et sa pratique romanesque.

Voici donc ce qu'on pourrait appeler une brève *idéographie* de ces doctrines :

Les toutes premières idées de Robbe-Grillet sur la forme et le contenu romanesques ont été exposées dans des comptes rendus et des essais critiques publiés dans la *N.R.F.* et *Critique* en 1953 et 1954, soit après la parution des *Gommes.* A cette époque, Robbe-Grillet témoignait un vif intérêt pour les romans ou les nouvelles dont l'intrigue comportait des péripéties paradoxales ou des revirements complets aux dépens des protagonistes. Tel était le cas, par exemple, du *Piège,* de Jean Duvignaud, dont Robbe-Grillet résume ainsi l'anecdote : « Un mendiant poursuivi pour un crime qu'il n'a pas commis, mais si bien *inventé* qu'il le conduira quand même au meurtre et à la mort ». Ailleurs, il rapporte avec un plaisir évident l'histoire de ce résistant italien qui prétend avoir exécuté un chef fasciste, et dont le récit prend de telles proportions qu'il se croit obligé d'en faire un film : au cours du tournage, il se rend compte que « la réalité réclame un vrai cadavre... Ce sera le sien ! ». Ce que ces comptes rendus de lecture aiment à monter en épingle, c'est le dénouement imprévu et habile d'une trame ambiguë. Or, cette inclination persistante est plutôt en contradiction avec les déclarations que Robbe-Grillet a faites postérieurement, et dont se sont emparés ses critiques, comme ceux d'ailleurs de toute la prétendue « école » du *nouveau roman,* ou du *regard,* ou de l'*alittérature,* ou encore de l'*anti-roman.* Robbe-Grillet a affirmé en effet que dans l'art contemporain, l'intrigue perd de son importance, prend des formes purement conventionnelles, ou disparaît tout à fait. Il n'est que de lire, par exemple, ses remarques (1) sur « l'intrigue de convention » qu'il attribue aux *Gommes,* « qui n'avait pour moi aucune importance ; elle ne visait ni à la vraisemblance, ni à l'authenticité », et sur l'intrigue de *la Jalousie,* livre « où il

(1) *Prétexte I,* janvier 1958, p. 100.

ne se passe rien, ou à peu près ». Pour estimer à leur juste valeur semblables affirmations, il faut prendre « intrigue » dans un sens très conventionnel, « conditionné » (thèmes sociaux, engagement, etc.), car dès l'origine Robbe-Grillet affiche un intérêt très marqué pour les trames « structurées » de façon ingénieuse et complexe (dans les romans d'autrui, comme *Le Rocher de Brighton* de G. Greene, aussi bien que dans les siens propres), de même que pour les ambiguïtés de toutes sortes introduites dans des canevas à fils multiples ou à significations *ouvertes*.

Ce désir d'insister sur l'importance de la trame, on le retrouve dans tous les « prière d'insérer » écrits par Robbe-Grillet pour ses livres dès le début de sa carrière romanesque. Ces admirables résumés indiquent toujours les lignes générales d'une *histoire* précise, susceptible de guider le lecteur dans un univers dont tous les éléments sont marqués par des traces de suspense, de surprise, d'angoisse, et souvent de meurtre. Le cas du « prière d'insérer » de *la Jalousie* est à cet égard instructif : nombre de critiques, dont Edouard Lop et André Sauvage, dans leur « Essai sur le nouveau roman », de fraîche date (2), ont admis que, sans cet avertissement, ils n'auraient pas deviné que ce texte était « narré » par le mari jaloux. Mais M. Blanchot, croyant peut-être suivre l'auteur sur la voie de l'abstraction de l'intrigue, écrit, dans *le Livre à venir*, que les « éditeurs » ont déformé *la Jalousie* par l'adjonction de ce texte au verso de la couverture du livre et qu'il n'y a pas de narrateur, qu'il ne s'agit que d'une « pure présence anonyme ». Robbe-Grillet a en tout cas rédigé lui-même ce texte. Avant de parler de « pure présence anonyme, il faut d'abord reconnaître que l'histoire est narrée (vue, entendue, sentie, etc.) par le mari de l'héroïne. Même l'intrigue de *l'Année dernière à Marienbad*, qui ne semble pourtant guère « racontable », est résumée de façon nette dans la préface à ce « ciné-roman ». Prétendre donc qu'il n'y a pas

(2) *Nouvelle Critique*, avril 1961.

d'intrigue du tout dans les romans de Robbe-Grillet est une exagération abusive, un malentendu ou une erreur.

En plus des comptes rendus de lecture et des « prière d'insérer », il y a, et c'est le plus important, toute une série d'articles sur les problèmes du roman actuel. Dès 1953, l'auteur exprimait, dans des essais critiques sur d'autres écrivains, les idées caractéristiques sur lesquelles il reviendra dans ses écrits de pure « théorie ». Dans son étude sur *En attendant Godot* (3), il félicite Beckett d'avoir, dans cette pièce, attaqué la littérature des idées, applaudit à sa « régression au-delà du rien », et exalte non seulement sa négation de la signification en général, mais aussi son refus, par l'emploi de protagonistes amorphes et d'autres techniques semblables, de l'idée de personnalité ou d'identité. Robbe-Grillet reviendra d'ailleurs sur ces mêmes thèmes dans l'essai qu'il écrira en 1957 sur *Fin de Partie*.

Dans un examen de Joë Bousquet (4), Robbe-Grillet relève à son propos des influences surréalistes — doctrinales et techniques — susceptibles d'intéresser, sous une forme modifiée, une nouvelle génération d'écrivains. Et puisque Robbe-Grillet a souvent reconnu, dans ses essais, interviews et conférences, l'importance du surréalisme dans les sources du nouveau roman (avec d'autres influences déterminantes, comme celles de Kafka, de Roussel, de Joyce, de Faulkner, etc.), il convient de revenir sur certaines de ses remarques que la critique a jusqu'ici négligées.

Partant de ce qu'il appelle le « faux sommeil du rêve » des surréalistes, Robbe-Grillet prévoit l'apparition de techniques descriptives plus ou moins identiques à ce « style objectal » que Roland Barthes va bientôt célébrer dans les descriptions minutieuses des objets chez Robbe-Grillet lui-même. Malgré les « fantasmagories et [...] le charlatanisme poétique » de certaines entreprises surréalistes, écrit Robbe-Grillet, le mouve-

---

(3) *Critique*, février 1953.
(4) *Critique*, octobre 1953.

ment engendré par André Breton a le mérite, au moins, d'exprimer « la *netteté* anormale avec laquelle apparaissent, dans les rêves les plus anodins, une chaise, un caillou, une main, la chute d'un débris quelconque [...], comme si le fragment *s'était éternisé à l'état de chute.* » (Plus tard, Robbe-Grillet attribuera ce même « réalisme de la présence » aux objets des films.) Une autre idée, où l'on peut déjà déceler un procédé essentiel aux futurs romans de l'auteur, à savoir certains arrangements, séries ou assemblages structurés d'objets servant de supports (ou *corrélatifs*) aux états mentaux, apparaît dans les remarques de Robbe-Grillet sur le « hasard objectif » des surréalistes, lequel « éclaire [...] les rapports *énigmatiques* qui lient la vie quotidienne à ce que devrait être l'art ». Envoûtement exercé par les objets décrits dans le style hallucinatoire du « réalisme magique » (« Les phénomènes les plus ordinaires seront en fin de compte les plus merveilleux »), obsession du mouvement retenu ou interrompu (cf. toutes les scènes figées dans son œuvre), découverte dans le monde extérieur d'un système d'*objets-signes* qui sont les supports de notre vie affective — toutes ces caractéristiques de l'art romanesque ont pour l'étude des romans de Robbe-Grillet une importance aussi grande que celle des articles ultérieurs, où l'aspect théorique sera beaucoup plus marqué. Robbe-Grillet s'est rarement expliqué sur le rôle des objets dans le roman avec autant de netteté que dans ce passage emprunté à l'essai sur Joë Bousquet :

> Nous devons enfin nous garder des constructions allégoriques et du symbolisme. [...] Chaque objet, chaque événement, chaque forme, est en effet son propre symbole. [...] L'univers de Bousquet — le nôtre — est un univers de signes. Tout y est signe ; et non pas signe de quelque chose d'autre, quelque chose de plus parfait situé hors de notre portée, mais signe de soi-même, de cette essence qui demande seulement à être révélée.
>
> (*Critique,* octobre 1953, p. 828.)

Et pour révéler cette essence, que Robbe-Grillet (se servant de la terminologie existentialiste popularisée par Sartre) ne va pas tarder à appeler « *l'être-là* des objets », il n'existe qu'un seul moyen vraiment efficace : « le corps de la parole et de l'écriture, le *langage* ».

A la suite de la controverse qui s'était élevée autour du *Voyeur* (cf. la brochure intitulée *La Querelle du Voyeur*, parue aux Editions de Minuit à cette date), de nombreux critiques allaient s'efforcer d'analyser et de discuter les théories et les techniques apparemment révolutionnaires de Robbe-Grillet. Parmi eux, Roland Barthes, Bernard Dort, Maurice Blanchot, Jean-Michel Royer, Jacques Brenner, Luc Estang, Bernard Pingaud, Gerda Zeltner, tentaient d'étudier *le Voyeur* dans l'optique des doctrines de son auteur, et en termes susceptibles d'être appliqués à une nouvelle catégorie de romanciers. De cette controverse date, en effet, le commencement des tables rondes, polémiques, discussions radiophoniques, programmes télévisés, séries d'articles dans la presse et colloques académiques, consacrés au nouveau roman. Robbe-Grillet lui-même est entré de bonne heure dans la mêlée, en publiant dans *l'Express*, durant l'hiver 1955-56, une série de neuf articles groupés sous le titre « Littérature aujourd'hui ». Il y exposait des vues volontairement simplifiées, sous une forme concise et frappante. Faisant mouche à tout coup, se limitant dans la plupart des cas à des déclarations succinctes dont la vraie portée n'apparaît pas au premier coup d'œil, Robbe-Grillet s'emploie à saper, au moyen d'une rhétorique et d'une logique cartésienne, les credos et doctrines qui sont à la base du roman traditionnel. Au nom de ce qu'il appelle alors « un nouveau réalisme », il met le public face à des propositions réellement révolutionnaires, qu'il donne toutefois pour des vérités évidentes. Voici, condensées et paraphrasées, les plus importantes d'entre elles :

Le roman doit évoluer. Cette évolution repose sur des motivations internes, purement littéraires, aussi bien qu'externes (sociologiques par exemple).

La perpétuation des formes anciennes signifie la mort de l'art romanesque, comme d'ailleurs de tout art.

La conception de chefs-d'œuvre « involontaires » n'est plus valable, car elle implique un « au-delà métaphysique ».

Le romancier contemporain doit être « intelligent », doit reconnaître que le vieux réalisme balzacien reposait sur des significations sociales et psychologiques aujourd'hui caduques, doit faire des romans en accord avec la pensée contemporaine, en s'attachant surtout aux rapports qui existent entre les objets, les gestes et les situations, en dehors de tout « commentaire » psychologique ou idéologique sur le comportement des personnages.

Le cinéma présente les objets sous cet angle phénoménologique, et peut valablement influencer le roman de demain.

Le fait qu'il y a abondance de lecteurs (« Les Français lisent trop ») rend difficile la tâche de l'écrivain désireux de toucher un public que les techniques démodées n'auraient pas déjà conditionné.

L'*engagement* de l'écrivain ne saurait être un engagement politique ; le seul engagement possible est *littéraire*. Pour l'écrivain « engagé », seule compte la littérature, et l'art littéraire contient sa propre justification, sa propre fin.

Le « nouveau réalisme » doit racler la « croûte » des interprétations et des significations cachées. Les chercheurs d'allégories ont nui à Kafka, que méconnaissent ses propres descendants. « Peut être les escaliers de Kafka mènent-ils ailleurs, mais *ils sont là.* »

Si l'univers romanesque cache un au-delà, ce ne peut être, en tout cas, un au-delà de l'écriture ou de l'humanité. Toute interprétation reste une interprétation *de trop* devant l'*être-là* des situations, des gestes et des objets.

(D'après la série de *l'Express,* octobre 1955-février 1956.)

Nombre de ces idées — révisées, complétées — sont passées dans le premier « manifeste » de Robbe-Grillet : « Une voie pour le roman futur » (5), article retentissant qui consacrait son auteur comme théoricien du nouveau roman. De longs passages sur le réalisme de la présence des objets cinématographiques, sur le rejet d'un au-delà illusoire des choses et des gestes, sur le refus de toute « interprétation » des personnages, s'y retrouvaient presque inchangés. Pour renforcer ces données de base, l'auteur faisait appel à deux termes nouveaux, destinés à faire partie de ses théories définitives : *surfaces* et *profondeur*.

La position prise par Robbe-Grillet, telle qu'elle ressortait de ce nouvel article, peut se résumer ainsi : il faut nettoyer le roman, le débarrasser radicalement de cette « croûte » de formes vieilles, d'idées et de buts

(5) *N.R.F.*, juillet 1956.

préconçus, qui forme une sorte de grille filtrant toutes nos réactions — grille constituée par l'ensemble de nos habitudes psychologiques, principalement acquises au cours de nos lectures, et qui nous empêche de voir les choses et notre situation dans le monde « avec des yeux libres ». L'homme ainsi conditionné ne peut s'empêcher de tout incorporer dans cette pseudo-compréhension : il s'approprie tout, jusqu'aux éléments qui peuvent lui sembler non récupérables, qualifiant ces derniers d'*absurdes*. Puisque nous souffrons tous de ce conditionnement, nous introduisons partout des « significations » psychologiques, sociologiques, morales, politiques, voire religieuses. Pourtant, si l'ontologie existentialiste nous a appris quelque chose, c'est bien que :

> [...] le monde n'est ni signifiant, ni absurde. Il *est* tout simplement [...] Ouvrant les yeux à l'improviste, nous avons éprouvé [...] le choc de cette réalité têtue. [...] Autour de nous [...] les choses sont là. Leur surface est nette et lisse, *intacte* [...] Toute notre littérature n'a pas encore réussi à en entamer le plus petit coin, à en amollir la moindre courbe.
>
> (*N.R.F.*, juillet 1956, p. 80.)

La première tâche du romancier est donc de détruire le vieux mythe de la profondeur, des sens cachés sous les surfaces du monde phénoménologique que nous habitons. La pensée contemporaine a partiellement accompli cette révolution ; le romancier, à son instar, doit maintenant s'interdire de faire de l'univers romanesque la propriété exclusive de l'homme, formée à son image et pour ses besoins. « Nous ne croyons plus, déclare Robbe-Grillet, à cette profondeur ».

En négligeant de revenir sur les aspects positifs de son programme, tels qu'il les avait exposés dans la série d'articles de *l'Express,* et en redoublant d'insistance sur la nécessité de rompre avec le passé, Robbe-Grillet, pour beaucoup de critiques, passait pour avoir plaidé à outrance la cause de l'*anti-roman*. Les remous déclenchés par ce terme — introduit, on le sait, par Sartre dans sa préface à *Portrait d'un Inconnu* de Nathalie Sarraute — nuisaient déjà à la conception de « nouveau roman » ; ils continuent d'entretenir des polémiques stériles, et des critiques comme Jean Bloch-Michel et Pierre-Henri Simon emploient toujours les deux termes auto-contradictoires d'*alittérature* et d'*anti-roman*. Bien que Robbe-Grillet, dans son « manifeste » ne s'en soit pas pris à la psychologie elle-même, mais à « la sacro-sainte *analyse* psychologique », le ton de son article a fait naître une présomption de refus de toute « intériorité » des états et des réactions psychologiques. L'ambiguïté de sa position sur la psychologie constitue peut-être le point difficile de sa doctrine, et ses efforts pour s'en expliquer n'ont pas convaincu ses censeurs. Pourtant, une lecture attentive du texte prouve qu'il se contente de demander au romancier contemporain de s'abstenir d'incorporer à ses romans des commentaires ou des explications liés à une interprétation psychologique préconçue ou arbitraire des personnages. Il n'en reste pas moins que, prenant connaissance d'« Une voie pour le roman futur », un lecteur trop pressé peut en déduire que l'écrivain nierait volontiers jusqu'à l'existence même de la vie psychique.

Dans son article sur *l'Ere du Soupçon* de N. Sarraute (6), Robbe-Grillet allait fournir en apparence un argument supplémentaire à ceux de ses critiques qui voulaient à tout prix voir en lui l'ennemi, sinon l'abolisseur, de la psychologie romanesque. En effet, après avoir souscrit à l'attaque montée par N. Sarraute contre le formalisme désuet du roman conventionnel, après avoir applaudi à sa déclaration selon laquelle le règne des « personnages inoubliables » dans la tradition balzacienne était passé, après avoir approuvé ses réserves sur les romans dits « de comportement », où les attitudes psychologiques et morales ne sont éliminées que pour mieux reparaître sous-entendues (ainsi dans *l'Etranger* de Camus, dont Robbe-Grillet dira plus tard qu'il représente une étape incertaine dans l'histoire du roman « déconditionné »), Robbe-Grillet prend à cœur de s'opposer à la doctrine centrale de

---

(6) *Critique*, août-septembre 1956.

N. Sarraute, à savoir la nécessité de pénétrer dans les nouvelles profondeurs de l'*infrapsychologie*. Selon lui, lorsque N. Sarraute insiste sur les monologues intérieurs mêlés aux « sous-conversations » qui émergent d'un magma psychique bouillonnant de tropismes microscopiques, lorsqu'elle s'efforce d'abolir la frontière qui sépare le vocal du sub-vocal, la romancière revient, à son tour, aux doctrines de l'intériorité et des profondeurs qui ont envahi le roman. Il convient surtout de relever, comme il discute l'argumentation de N. Sarraute contre les indications graphiques du dialogue, ses déclarations en faveur du dialogue *parlé* (par opposition au monologue intérieur et à la sous-conversation) :

> Il y a dans la phrase prononcée une *présence* solide, monstrueuse, définitive, qui la sépare radicalement de toute pensée, surtout des pensées-éclair, dont nous entretient vonlontiers Nathalie Sarraute, noyées dans leur mouvement et leurs perpétuelles mutations. Rien ne sera donc trop fort pour isoler cette *parole*, pour lui rendre ses faces vives et ses arêtes.
>
> (*Critique*, août-septembre 1956, p. 701.)

L'exemple de *l'Année dernière à Marienbad* vient à l'esprit, où la « phrase prononcée » déploie non seulement sa *présence*, mais encore son *pouvoir créateur*. Le cas de N. Sarraute, en somme, affirme Robbe-Grillet en conclusion de son essai, prouve que les « vieux mythes de la profondeur » ne sont pas morts.

Il était inévitable que les critiques découvrent des contradictions entre la théorie et la pratique de Robbe-Grillet. Aucun impératif de cette doctrine ne pouvait expliquer, semble-t-il, des procédés comme l'emploi, dans *le Voyeur*, de scènes fausses ou de visions déformées chez le protagoniste, ou encore du système d'objets « symboliques » qu'on croyait y déceler. *Le Voyeur* était-il, oui ou non, l'étude d'un cas pathologique ? Dans l'affirmative, ne reposait-il pas sur une psychologie « interne » ? Où était le « réalisme » dans les scènes fausses, les pseudo-souvenirs, les délires érotiques de Mathias ? Si les fameux « objets » de Robbe-Grillet étaient vraiment, comme le prétendait Roland Barthes dans son important article « Littérature objective » (7), « anti-classiques », « einsteiniens », non-signifiants, neutres, sans attaches métaphysiques ni métaphoriques avec l'homme, pourquoi toutes ces formes en *huit*, ces représentations identiques de cercles tangents formés par une corde roulée, par des ronds de fumée de cigarette, par les marques d'un anneau de fer sur le mur du quai, par l'empreinte en paire de lunettes sur les panneaux des portes, etc. ? Quant à *la Jalousie,* si ce roman n'était pas tout simplement une « déshumanisation » du genre romanesque, une réduction de toute émotion humaine à la description visuelle d'un « œil de caméra », ne constituait-il pas une « trahison » des principes de son auteur ? Ne plongeait-il pas profondément dans une psychologie implicite ou sous-entendue, dans un symbolisme des correspondances (le mille-pattes symbole de l'acte sexuel, par exemple), voire même dans l'allégorie ?

Robbe-Grillet, désireux de clarifier sa position, surtout en ce qui concerne les apparents « symboles » que certains critiques décelaient dans son œuvre, m'écrivait vers cette date : « Vous m'avez sauvé du symbolisme en inventant la « corrélation objective ». Bien entendu, je n'avais point inventé le « corrélatif objectif », mais je l'avais en effet proposé, d'abord dans la *French Review* (avril 1958), puis dans *Critique* (juillet 1959), pour expliquer le fonctionnement des objets dans des romans comme *Le Voyeur* et *La Jalousie* sans faire appel au symbolisme proprement dit. Entre temps, Robbe-Grillet s'était de nouveau efforcé de préciser ses idées sur les structures « intentionnelles » dans le roman. Il avait principalement effectué cette mise au point dans un article intitulé « La forme et le contenu », qui fait partie d'une série de cinq essais parus dans *France-Observateur* durant la seconde moitié de 1957. Par la suite, il devait faire paraître dans la *N.R.F.* d'octobre 1958, sous le titre « Nature, huma-

(7) *Critique*, juillet-août 1954.

nisme, tragédie », un nouveau manifeste théorique, qui est le plus important de tous ceux publiés jusqu'ici.

Robbe-Grillet s'efforçait, dans cet essai, de libérer le roman, de le faire sortir de l'impasse de la non-signification où il semblait menacé de s'enliser. Plusieurs questions importantes attendaient une réponse : si le roman devait se dépouiller des « prétendues richesses » de la psychologie, de la sociologie, de la politique, par l'effet d'une description « objectale » d'un univers phénoménologique des surfaces, comment pouvait-il éviter de devenir un jeu stérile, un authentique anti-roman ? Si un ouvrage aussi « nettoyé », aussi « vidé » même que *l'Etranger* était trahi par un dénouement qui replaçait dans un système de significations morales un héros du type *homo absurdus,* quel genre de roman l'écrivain actuel pouvait-il donc écrire, et à quoi donc servirait-il ? En outre, puisqu'il était évident qu'un ouvrage comme *la Jalousie* contenait bien autre chose que des arrangements ou des mises en rapports d'objets, Robbe-Grillet ne se contredisait-il pas en proposant, dans ses manifestes, un genre de roman qui était le contraire de ceux qu'il écrivait ?

On peut résumer ainsi les points essentiels de la réponse de Robbe-Grillet à ces attaques : la plupart des objections à sa doctrine reposent sur la base d'un *faux humanisme,* un humanisme qui n'est en réalité qu'une métaphysique de la transcendance, servant à relier l'homme à la nature, au moyen de correspondances mystiques, de métaphores anthropomorphiques, de symboles, etc. Même lorsqu'on conçoit l'homme séparé, désolidarisé d'avec la nature, on ne le considère sous cet angle, la plupart du temps, que pour exploiter cette division entre l'homme et les choses, au nom de la *tragédie.* La tragédie, comme l'humanisme, vise à la « récupération » de l'homme et à sa réintégration dans l'ordre divin ou quasi-divin de la solidarité ou de l'unité mystique. Or, affirme Robbe-Grillet, l'homme moderne doit dire « Non » à la tragédie. Il doit accepter d'exister dans un univers objectivement non-signifiant, avant de pouvoir se tourner vers sa « vraie » humanité, vers cet authentique humanisme que l'auto-projection affective ou idéologique, ou la croyance à une métaphysique de l'au-delà, ne menaceront plus de souiller.

C'est *la Jalousie* que, sans la nommer, Robbe-Grillet défend contre l'accusation de « déshumanisation », cherchant par-là à en disculper toute son œuvre. Le terme « deshumanizacion », dans le fameux ouvrage de Ortega y Gasset, n'était nullement un terme d'opprobre, mais plus ou moins le synonyme de la « distanciation » brechtienne, c'est-à-dire un procédé artistique de stylisation et de mise en forme ayant pour but de distinguer entre l'art et la « vie » réelle. Pour les critiques de Robbe-Grillet, en revanche, « déshumanisation » signifie froideur, détachement de l'homme, recherche exclusive des descriptions objectives, etc. Mais, proteste Robbe-Grillet, comment un roman peut-il être accusé de se détourner de l'homme, d'être une œuvre « inhumaine », lorsqu'il met en scène un homme et « s'attache de page en page à chacun de ses pas, ne décrivant que ce qu'il fait, ce qu'il voit, ce qu'il imagine » ? Par cette dernière phrase, il indique nettement que les techniques de la « surface » et de la description objective peuvent s'appliquer à des scènes imaginaires, aussi bien que réelles, comme c'est le cas dans *le Voyeur* et *la Jalousie*. Quant au rôle spécifique des objets, Robbe-Grillet explique ensuite comment, bien qu'ils ne soient pas liés à l'homme, bien qu'ils restent neutres, indifférents, non symboliques, sans jamais être affectés par son regard, sans jamais lui « répondre », ils n'en sont pas moins capables de recevoir la « charge » psychique qu'ils portent souvent dans ses romans :

> [L'homme] refuse d'entretenir avec elles [les choses] aucune entente louche, aucune connivence ; il ne leur demande rien ; il n'éprouve à leur égard ni accord ni dissentiment d'aucune sorte. Il peut, à l'aventure, en faire le *support* de ses passions, comme de son regard. [...] [Mais] sa passion [...] se pose à leur surface, sans vouloir les pénétrer, puisqu'il n'y a rien à l'intérieur.
>
> (*N.R.F.*, octobre 1958, p. 583.)

En autorisant les objets à fonctionner comme supports ou soutiens des passions (autre façon de dire qu'ils sont des corrélatifs objectifs), Robbe-Grillet acceptait une concession nécessaire. N'avait-il pas déclaré, dans « Une voie pour le roman futur », que les objets, les choses « ne seront plus le vague reflet de l'âme du héros, l'image de ses tourments, le *support* de ses désirs » ? En se ralliant maintenant à une doctrine de l'objet-support, corrélatif extérieur de la vie affective, Robbe-Grillet permettait enfin au roman d'exprimer ou de *contenir* des significations, à l'intérieur d'un système de rapports entre objets et signes, de situations « structurées » et de surfaces optiques ou sensorielles.

On peut faire rentrer dans ce système une grande diversité d'intentions. Les motivations psychologiques objectivées de *la Jalousie* y trouvent leur place, aussi bien que les tableaux descriptifs du « roman sans romanesque » ou roman pur, illustré par *Dans le Labyrinthe*. Il s'en faut de peu que ce dernier ouvrage n'accomplisse l'idéal flaubertien d'un « livre sur rien... sans attache extérieure » : interférences, décalages, renforcements dans le jeu des objets-thèmes, mouvements, soumotifs, signes, situations répetées en des variantes souvent contradictoires, images positives-négatives — tout cela, organisé autour d'une intrigue virtuellement « vide », crée les tensions esthétiques qui, avec leurs résolutions, valorisent l'œuvre.

Dans un de ses derniers essais, « Nouveau roman, homme nouveau » (8), Robbe-Grillet reprend avec quelques légères modifications les différents points de sa doctrine littéraire, sous prétexte d'une « réponse » aux détracteurs de la prétendue école. Certains critiques, parmi lesquels Jean-René Huguenin (9), considèrent que ce nouveau manifeste témoigne d'un abandon des premières positions de Robbe-Grillet, même s'il ne constitue pas une véritable reconnaissance d'« erreurs »

---

(8) *La Revue de Paris*, septembre 1961.

(9) *Arts*, 27 septembre-3 octobre 1961.

commises dans le passé. Mais il n'en est rien. Tout d'abord, la description que donne Robbe-Grillet de l'« image » du nouveau roman, telle qu'on la trouve chez les critiques détracteurs, ne paraît nullement exagérée, comme en témoigne l'article tout à fait typique d'André Frossard, intitulé « Technique du rien », où l'auteur récite sarcastiquement la litanie familière des griefs :

> Il est évident que ce qui est important dans le roman français contemporain, ce n'est pas l'histoire,
> ce n'est pas l'intrigue ;
> ce n'est pas l'amour ;
> ce n'est pas la vie ;
> ce n'est pas la mort ;
> ce n'est pas les personnages ;
> ni les situations ;
> ni les choses ;
> mais la Technique du romancier.
>
> (*Candide,* 13-20 juillet 1961.)

D'autre part, il n'y a aucune concession dans les contre-attaques de Robbe-Grillet, ni aucun abandon de positions conquises. Le nouveau roman, affirme-t-il, ne constitue pas une vraie « école » ; le terme n'est qu'une étiquette commode pour grouper certains écrivains qui partagent des convictions générales identiques : que le roman doit constituer une *recherche,* sans vouloir d'aucune façon imposer des règles ou des formes arrêtées ; que le roman « nouveau » ne prétend point « faire table rase du passé », mais évoluer à partir de ce que le passé offre de meilleur ; qu'il ne se détourne pas de l'homme, mais cherche à s'adapter à la situation qui est la sienne dans le monde actuel ; qu'il ne cultive pas une « objectivité » impartiale, mais se soumet au contraire à une *subjectivité* foncière, en tant qu'expression du contenu mental d'un personnage engagé le plus souvent dans une aventure passionnelle ; que sa « déchronologie » et ses autres déformations apparentes sont bien plus proches de notre véritable vie psychique que la fausse « psychologie » héritée des œuvres du passé ; que son refus des significations préétablies n'est qu'un reflet, dans le domaine littéraire, des idées découvertes par la science et la philosophie modernes ; enfin, que l'engagement du romancier ne saurait être que littéraire. La seule phrase qui sonne neuf dans cet article est peut-être celle sur la « subjectivité » : « Le nouveau roman ne vise qu'à une subjectivité totale ». Mais cette idée, comme nous l'avons vu, se trouve déjà dans le système de Robbe-Grillet, dont elle constitue même un article fondamental.

Cette conception de la subjectivité objectivée apparaît également dans la préface au scénario du film *L'Année dernière à Marienbad.* Les images syncopées, les dialogues décalés, les scènes-souvenirs, vraies ou imaginaires, de ce « ciné-roman », en font une œuvre polyvalente, à la fois réelle et mentale, où les coordonnées du temps et de l'espace n'ont plus rien à faire avec la « réalité » que le héros « crée par sa propre vision ». Dans l'ontologie de Robbe-Grillet, pensées et images *sont* les représentations mentales de leur sujet, ou contenu. Les dialogues ne constituent, sous certaines conditions, que des descriptions ou des expressions verbales de ces images ou représentations intérieures ; donc la conversation est moins un échange de paroles qu'un *échange de vues,* puisque ce qui importe, dans ce cas, c'est l'image projetée dans l'esprit de ceux qui parlent. Or le cinéma, affirme Robbe-Grillet, est particulièrement bien adapté à cette projection d'images réelles ou fictives : souvenirs, anticipations, inventions, hypothèses, etc. De plus, le cinéma effectue admirablement ces transitions, ces séquences non-chronologiques qui caractérisent la vie psychique ou la réalité telles qu'elles *sont,* suivant la phénoménologie moderne. Sur ce point, les idées de Robbe-Grillet coïncident avec celles exprimées par certains critiques ou historiens du cinéma, comme Edgar Morin (10), ou Jacques-Bernard Brunius. Ce dernier écrit, par exemple :

> Le cinéma apparaît comme l'instrument inespéré de l'objectivation de l'*acqua-micans* mental. [...] L'écran lumi-

(10) *Le Cinéma ou l'homme imaginaire,* Editions de Minuit, 1956.

neux [est...] la surface mitoyenne de l'objectif et du subjectif. [...] La disposition des images de l'écran *dans le temps* est absolument analogue au *rangement* que peut opérer la pensée. [...] Ni l'ordre chronologique ni la valeur relative des durées ne sont réels. [...] Il est impossible d'imaginer plus fidèle miroir de la *représentation mentale.*

(*En marge du cinéma français,* 1954 ; reproduit dans *l'Art du cinéma,* 1960, édité par Pierre Lherminier.)

Il était donc inévitable, souhaitable et *correct,* du point de vue de cette doctrine, qu'une œuvre comme *L'Année dernière à Marienbad* nous offrît une ambiguïté sur-pirandellienne de situations et d'identités des personnages sans commune mesure avec les structures logiquement ordonnées des films ou des romans traditionnels. Le contenu mental n'étant jamais « linéaire », il serait absurde d'imprimer à l'œuvre littéraire un mouvement dans le temps qui progresse linéairement vers le futur, de même qu'il serait ridicule de limiter l'espace de la pensée à l'espace qui nous entoure localement à un moment donné.

Mais ce n'est qu'en étudiant les œuvres qu'on peut voir se dessiner les contours exacts d'une doctrine créatrice, et profiter de l'application des principes pour résoudre les problèmes d'interprétation. Toute la doctrine de Robbe-Grillet, si intéressante soit-elle, perdrait beaucoup de son importance si ses romans n'étaient là pour l'étayer, ou mieux pour l'incarner. Ses œuvres mises à part, son « message » doctrinal peut se résumer en quelques points simples et précis : il ne faut pas juger d'un art en évolution par les critères du passé ; le nouveau roman, comme le nouveau cinéma, doit rompre avec le formalisme stérile de l'imitation ; le lecteur, comme le spectateur, doit se déconditionner, se libérer, voir avec « des yeux libres » ; le romancier, comme le scénariste, doit cultiver un *formalisme créateur* basé sur le principe que le roman, comme le film, est un *art.* Les valeurs d'un art ne sont jamais des valeurs idéologiques, sociologiques, politiques ; elles résident au contraire dans les formes et les structures.

Encore moins ces valeurs sont-elles détachées de l'homme, ou « inhumaines ». Loin de régresser vers un idéal désuet d'*art pour l'art*, la doctrine de Robbe-Grillet peut nous conduire à une conception plus vraie, l'*art pour l'homme*.

CHAPITRE II

ŒDIPE OU LE CERCLE FERMÉ : *LES GOMMES* (1953)

> Through any single manifestation of the myth, therefore there opens up the perspective of a serialistic pattern endlessly repeating itself, what Mann calls « time-coulisses ».
>
> A Mendilow. *Time and the Novel.*

Rétrospectivement, le premier roman édité de Robbe-Grillet, *les Gommes* (c'est en réalité le second), se révèle étonnamment prophétique de ses œuvres à venir : loin d'apparaître comme un ouvrage expérimental, ou un exercice de style dans un genre mixte — roman policier avec descriptions « objectales » —, il se présente comme l'archétype même du roman robbegrilletien. Dans *les Gommes,* ainsi que dans toutes les œuvres de Robbe-Grillet, le protagoniste décrit une trajectoire circulaire le ramenant en apparence à son point de départ — un peu comme s'il décrivait un cercle de Jean-Baptiste Vico. Pourtant, malgré la ressemblance des situations initiale et finale, le destin se trouve inéductablement modifié. Le fabuleux serpent gnostique Ouroboros se mord la queue : telles les écailles bariolées de son corps sinueux, les objets et les scènes des *Gommes* composent une série secrète d'éléments dont chacun, en dépit de l'imbrication générale, calculée, semble persister obstinément dans une existence aberrante, injustifiable (1).

Bien que des comptes rendus élogieux aient salué *les Gommes* dès sa parution (Jean Blanzat déclara qu'il était « un livre d'une surprenante autorité », et Jean Cayrol « un roman altier [...], un grand livre »), le roman passa plus ou moins inaperçu du grand public. C'est Roland Barthes, le premier exégète important de Robbe-Grillet, qui lança, dans « Littérature objective » et « Littérature littérale », deux articles importants publiés par *Critique,* certaines idées maîtresses de la critique robbegrilletienne qui ont guidé depuis lors nombre de ceux qui s'y consacrent.

---

(1) Robbe-Grillet m'a décrit son premier projet de roman — auquel il songeait avant même d'écrire *Un Régicide,* toujours inédit en 1962 — comme une intrigue qui aurait utilisé 108 éléments, par référence au 108 écailles du corps de l'Ouroboros, le serpent occulte qui symbolise tantôt l'Univers (dans les *Hiéroglyphes* d'Horapollon), tantôt le cycle répété des métamorphoses (chez les Ophites, héritiers de la doctrine gnostique), ou encore le Temps (dans la glose sur Plotin écrite par Ficino). L'une des figurations hermétiques de l'Ouroboros représente l'animal avec 108 écailles numérotées de telle sorte que la somme de deux nombres consécutifs donne le chiffre de l'écaille suivante, la série entière formant une unique possibilité numérique. Robbe-Grillet pensait modifier l'ordre chronologique de ses 108 éléments par un arrangement parallèle à celui des écailles de l'Ouroboros, créant ainsi une série fixe, comme dans la musique dodécaphonique. Abandonnant cette idée très baroque, Robbe-Grillet a néanmoins retenu la conception d'une intrigue circulaire et le procédé des mutations d'images par série, deux aspects fondamentaux de sa technique narrative. Dans *le Voyeur,* le protagoniste, au terme d'un itinéraire doublement circulaire de l'île et du temps du récit, quitte l'île comme il l'a abordée, dans un état d' « innocence » assez suspecte. Le mari de *la Jalousie* n'est pas plus avancé à la fin qu'au commencement du roman dans la solution de son problème : il revient jusqu'au dernier moment sur les événements du début. Le narrateur de *Dans le Labyrinthe* prononce dans la première phrase du livre un « Je » qui reste sans suite pronominale jusqu'au « moi » de la phrase finale, où le récit se referme circulairement sur son point de départ. La structure circulaire de *l'Année dernière à Marienbad* est encore plus évidente : X revit, en vivant, sa liaison avec A, sous une forme qu'il nomme lui-même déjà « passée », et qui peut se répéter à l'infini, chaque fois (« une fois de plus ») que le récit recommence.

Barthes commence par écarter délibérément toute « analyse argumentative » des *Gommes*. Il divise l'œuvre en deux parties distinctes : l'intrigue, qu'il n'examine même pas, et les *objets* du roman, qui seuls requièrent son attention. Certes, ces deux brillants essais sur « la dimension einsteinienne de l'objet », sur les diverses modalités des *existants* romanesques se mouvant dans un « mixte nouveau d'espace et de temps », sur ces objets « anti-classiques », de nature presque purement visuelle, dont l'auteur meuble son univers, fournissent plusieurs aperçus remarquables sur les nouvelles techniques descriptives de Robbe-Grillet. Mais en même temps, l'insistance de Barthes à affirmer que « l'objet de Robbe-Grillet n'a ni fonction, ni substance », jointe à son refus de s'intéresser si peu que ce soit au protagoniste ou à l'intrigue — c'est-à-dire tout le « parti-pris des choses » de Barthes — a contribué puissamment à la formation du mythe d'un Robbe-Grillet « chosiste », indifférent aux émotions, inhumain, se souciant fort peu de l'affabulation, n'écrivant en conséquence que des romans « froids », remplis d'objets minutieusement décrits, mais en fin de compte totalement « gratuits ». Cette erreur d'interprétation persiste encore, dix ans après, dans une large fraction du public et chez de nombreux critiques (2).

---

(2) Cette fausse interprétation de l'œuvre de Robbe-Grillet a cours non seulement en France (où ses écrits ont été qualifiés d' « extraits du cadastre », de « catalogue pour une exposition des Arts ménagers », etc.), mais aussi à l'étranger. Aux U.S.A. la célèbre revue *Time* a déclaré à plusieurs reprises que Robbe-Grillet se moquait des personnages et de l'intrigue, aussi bien que des émotions humaines, et qu'il finirait probablement par écrire « un roman sur une chambre meublée, contant l'idylle du fauteuil avec le divan » (*Time*, 13 octobre 1958 ; voir aussi le numéro du 14 décembre 1959) Philip Toynbee et John Wain, en Angleterre, ont exprimé les mêmes idées. Un critique très sérieux, J. Robert Loy, considère Robbe-Grillet comme un pur « chosiste » ; dans un article de la revue américaine *PMLA* (mars 1956) intitulé « *Things* in Recent French Literature », il écrit : « Seules les choses vivent sous son œil indifférent ; elles semblent seules avoir, dans son œuvre, une véritable existence. » Le perspicace critique italien Renato Barilli distingue entre la *texture objectale* des *Gommes* et son intrigue comme « tirée au sort », qu'il qualifie d'*absurde*, sans rapport avec la vraie valeur

Roland Barthes louait à juste titre, dans *les Gommes,* la volonté de l'auteur de « regarder le monde [...] sans d'autre pouvoir que celui-là des yeux ». Si l'on admet, comme il semble correct de le faire, que ces « yeux » sont ceux d'une conscience observatrice, on est en droit de rattacher directement Robbe-Grillet au courant de la pensée existentialiste, représentée principalement en France par Jean-Paul Sartre (il suffit de comparer les expressions favorites de Robbe-Grillet, comme « *l'être-là* des objets », à la terminologie de *l'Etre et le Néant* et de *la Nausée*) et par des phénoménologistes comme Merleau-Ponty, écrivant par exemple (3) que « rien n'est plus difficile que de savoir au juste *ce que nous voyons* ». L'attaque de Robbe-Grillet contre la signification et la profondeur n'est qu'un prolongement de celle qu'avaient lancée les phénoménologistes aussi bien contre la dualité objet-sujet que contre l'intériorité introspective précédemment dénoncée par les « behavioristes » américains. L'influence de ces derniers sur des œuvres comme *l'Etranger* est bien connue ; chez Robbe-Grillet et d'autres écrivains du nouveau roman, le behaviorisme fournira un support accessoire aux descriptions des comportements, des gestes, des conduites, envisagées dans une optique phénoménologique.

Il est temps maintenant d'entreprendre une étude attentive des *Gommes,* car ce roman n'a jamais été jusqu'ici analysé en détail comme il le mérite. Examinons d'abord son « prière d'insérer », le premier de ces résumés que Robbe-Grillet a composés pour la quatrième page de la couverture de ses ouvrages, et

---

du roman (« La narrativa di Robbe-Grillet ». *Il verri,* III, 2, 1959). Certaines déclarations de Robbe-Grillet lui-même ont contribué à favoriser cette interprétation. Mais il faut faire la part, dans ces affirmations, de la propagande littéraire, et aussi d'un certain humour auto-critique. L'analyse entreprise dans cette étude montrera, je pense, la réelle importance de l'intrigue des *Gommes* pour le Robbe-Grillet de 1953, aussi bien que son rôle dans l'évolution des idées de l'auteur sur la valeur de la trame dans la structure d'un roman.

(3) *Phénoménologie de la Perception,* 1945, p. 71.

qui mettent toujours l'accent sur la trame du récit. L'auteur décrit ainsi l'action des *Gommes* :

> Il s'agit d'un événement précis, concret, essentiel : la la mort d'un homme. C'est un événement à caractère policier — c'est-à-dire qu'il y a un assassin, un détective, une victime. En un sens, leurs rôles sont même respectés : l'assassin tire sur la victime, le détective *résout* la question, la victime meurt. Mais les relations qui les lient ne sont pas aussi simples, ou plutôt ne sont aussi simples qu'une fois le dernier chapitre terminé. Car le livre est justement le récit des vingt-quatre heures qui s'écoulent entre ce coup de pistolet et cette mort, le temps que la balle a mis pour parcourir trois ou quatre mètres — vingt-quatre heures « en trop ».

Ce résumé met en valeur les éléments ingénieux, genre « casse-tête », d'une intrigue à surprises, comme le feront à leur tour les premiers critiques du livre, imités en cela par les traducteurs étrangers, qui laisseront tomber le plus souvent le sens du titre français, très difficile à rendre, pour le remplacer par des titres comme *La doble muerte del Profesor Dupont* (version espagnole), ou *Ein Tag zuviel* (version allemande), dont l'effet est de souligner l'aspect paradoxal de l'intrigue.

Que sont ces vingt-quatre heures « en trop » ? Il y a, en réalité, deux cycles de vingt-quatre heures dans *les Gommes,* et chaque cycle pourrait constituer une unité de temps classique. Le prologue commence à 6 heures du matin, l'épilogue se termine à 6 heures le lendemain matin, sur une scène presque identique. Mais l'intrigue proprement dite débute par un coup de pistolet à 7 h. 30 la veille au soir et prend fin le lendemain soir, au moment où un second coup de pistolet, fatal celui-là, vient faire écho, à 7 h. 30, au premier. Les deux cercles se recoupent, se recouvrent en partie dans le temps. L'unité de temps classique elle-même souffre d'un décalage qui se retrouvera et s'accentuera partout dans le roman sous forme de déplacements et de mutations d'objets, de gestes, d'itinéraires ou de parcours, d'événements.

En simplifiant et regroupant les divers modes narratifs employés dans *les Gommes* (mode de l'observateur omniscient, monologues intérieurs dans le style *stream-of-consciousness,* discours indirects libres, chronologie renversée, retours en arrière et pseudo-retours en arrière, scènes « fausses » présentées comme vraies, etc.), on peut établir un schéma qui facilitera l'analyse critique d'une intrigue dont le mouvement général — en dépit de ses enchevêtrements et de son « retour au point de départ » — est en progression constante dans le temps sidéral, par opposition à celles de *la Jalousie* ou de *l'Année dernière à Marienbad,* où fourmillent les retours en arrière, les impasses chronologiques et les « échos » temporels.

Suivant le principe posé par Sartre, et avant lui par Henry James et d'autres encore, selon lequel le romancier doit limiter le contenu de son roman à ce que peuvent observer les personnages eux-mêmes dans le « cadre » de leur point de vue, Robbe-Grillet présente presque continûment le décor et l'action des *Gommes* comme une objectivation, ou une quasi-objectivation, du contenu mental d'une série de personnages : le patron du café, l'assassin professionnel Garinati, le docteur Juard, le négociant Marchat, le commissaire Laurent, l'agent spécial — et principal protagoniste — Wallas, la servante Anna Smite, le chef de gang Bona, la « voyeuse » Mme Bax, l'ivrogne aux devinettes, l'ex-employée des postes Mme Jean, la victime enfin, Daniel Dupont. Les quelques passages qui semblent gouvernés par le mode de narration de l'auteur omniscient sont en réalité des sortes de *chœurs,* commentaire d'une « conscience observatrice » neutre, liée à la structure même du roman.

Le prologue s'ouvre à 6 heures du matin le mardi 27 octobre au café des Alliés, rue des Arpenteurs (noter le thème du parcours et du jalonnement, faisant écho à l'arpenteur du *Château* de Kafka), juste en lisière du boulevard Circulaire qui entoure une ville d'atmosphère flamande, un dédale d'artères droites ou courbes coupées de canaux, bordées de façades sévères, identiques (décor très prophétique de celui du *Labyrinthe,* six ans plus tard). Tout, des ponts-bascules aux places, aux fontaines et aux statues, revêt un aspect à la fois conventionnel et inquiétant.

Tout en essuyant la surface tachée de rouge — de sang, dirait-on — d'une table, le patron de café se remémore les événements de la veille : un inconnu a tiré sur Daniel Dupont, professeur d'économie politique, dont la villa se trouve à proximité. Anna, la bonne du professeur, est venue appeler un docteur, car le téléphone de Dupont refusait mystérieusement de fonctionner. Un voyageur nommé Wallas est arrivé tard dans la nuit, et a loué la seule chambre dont dispose le café. Un autre homme arrive à présent, qui demande Wallas, mais ce dernier a déjà quitté sa chambre. Deux habitués du bistrot entrent en scène : Antoine, qui vient de lire dans le journal qu'un certain *Albert* Dupont a été assassiné la veille au soir, et un ivrogne qui pose une devinette à laquelle personne ne prête attention.

Debout près du pont-bascule, l'homme qui cherchait Wallas se penche au-dessus de l'eau sale du canal. C'est Garinati, tueur à gages, qui devait assassiner Dupont et a manqué son coup. Un glissement presque imperceptible au temps passé du verbe indique un retour en arrière dans l'esprit de Garinati. Suivant le schéma détaillé que lui a fourni Bona, son chef de bande (comme on l'apprendra plus tard, ce schéma fait partie d'un vaste programme d'assassinats politiques qui doivent tous s'accomplir à la même heure), Garinati a pénétré dans la villa du professeur, est monté à son cabinet de travail, et lorsque Dupont a paru dans l'embrasure de la porte, a tiré sur lui. Dupont, légèrement blessé au bras, a réussi à se détourner et s'enfuir.

Dupont, au cours d'une scène qui, bien qu'elle se soit déroulée la veille, est narrée au présent, se réfugie à la clinique du docteur Juard, et révèle à ce dernier son plan pour échapper au complot qui le menace : il fera circuler la nouvelle de sa mort, Juard signera le certificat de décès, et les hauts fonctionnaires de la capitale qui le protègent prendront livraison de son « corps », afin d'empêcher la police locale de découvrir la ruse (car elle peut être liée à une bande terroriste). Mais Dupont a besoin de certains documents qu'il a laissés chez lui. Son ami Marchat accepte d'aller les reprendre le lendemain soir. Quant à la femme — divorcée — de Dupont, on lui fera savoir que son ex-mari est « mort ».

Le prologue se termine par une visite de Garinati à son chef. Dans une scène « imaginaire », l'assassin manqué projette de retourner sur les lieux du crime et d'attenter une seconde fois à la vie de Dupont.

Alors, le véritable drame commence. Wallas, debout près d'un pont-bascule, regarde sa montre. Elle s'est arrêtée la veille au soir à 7 h. 30 précises et refuse de marcher. Arrivé de la capitale par le train, vers minuit, dans cette ville qu'il se rappelle vaguement avoir visitée quand il était enfant, Wallas a trouvé une chambre dans le café, près du lieu du crime que le Bureau des Equêtes l'a chargé de résoudre. Wallas commence à parcourir le dédale des rues, le long des sévères façades de briques. Il remarque de curieux motifs brodés aux rideaux des fenêtres ; une statue sur une place lui paraît bizarre. Il perd son chemin, s'enquiert du « centre » de la ville auprès d'une femme qui lui tient une conversation ambiguë. Il a l'intention de se rendre au bureau du commissaire Laurent, mais auparavant il entre dans une papeterie pour faire l'emplette d'une gomme à dessin d'une qualité bien précise. La marchande n'en possède pas de cette sorte. Wallas regarde la jeune femme avec insistance, suit le mouvement de ses lèvres, de ses hanches.

Au commissariat, Wallas discute du crime avec Laurent. Le commissaire exprime un certain scepticisme touchant à la manière dont Dupont a trouvé la mort ; pour lui, c'est plutôt un suicide, et la victime peut bien être, puisque personne n'a encore vu le corps, *Albert* Dupont, comme un journal l'a rapporté. Wallas montre son revolver au commissaire : c'est un 7,65 identique à celui utilisé pour le crime (le docteur Juard avait signalé le calibre de la balle retrouvée dans le « corps » du professeur). Comme il manque une balle dans le chargeur de Wallas, Laurent fait la remarque que Wallas lui-même pourrait être tenu pour suspect. Wallas va inspecter la villa de Dupont : il fouille le bureau et emporte le pistolet du professeur, un 7,65 où d'ailleurs il manque une balle. Une conversation difficile avec Anna — la vieille servante est presque sourde — n'apporte rien de précis.

Seul dans une chambre vide, Bona (Jean Bonaventure) attend que Garinati vienne lui faire son rapport. Ce dernier, acquis à l'idée d'une réprimande, s'étonne d'apprendre que Bona a accepté de bonne foi la version officielle de la mort de Dupont. Se trompe-t-il ? Dupont serait-il vraiment mort ?

Wallas apprend d'une certaine Mme Bax, qui habite en face de chez Dupont, qu'un homme vêtu d'un imperméable s'est approché de la demeure du professeur une heure avant le crime et a tripoté quelque chose dans la serrure de la porte-grille du jardin, malgré les efforts d'un ivrogne pour l'en empêcher. De retour au café des Alliés, Wallas est « reconnu » par ce même ivrogne, qui raconte la dite scène, prétendant que c'est Wallas qu'il a abordé. Wallas à son tour recrée cette scène, s'identifiant au personnage mystérieux. Puis le patron du café, inquiet, se décide à signaler Wallas à la police, lui demande ses papiers. Exhibant sa carte d'identité, Wallas remarque que la photo, faite à une époque où il portait la moustache, ne lui ressemble plus du tout. Il remet le document dans sa poche et sort.

Dans le tramway, Wallas écoute une conversation entre deux femmes qui ont l'air de se raconter un événement d'importance, mais en des termes si ambigus que sa vraie portée lui échappe. Il quitte le tram et entre encore une fois dans une papeterie. Un mannequin vêtu en peintre est exposé en vitrine devant un grand dessin au crayon, très finement exécuté, représentant les ruines d'un temple grec. Mais le « sujet » du peintre, à côté du mannequin, n'est autre qu'une immense photographie de la villa de Dupont, la maison du crime. De nouveau, Wallas demande sa gomme spéciale ; il parvient même à se rappeler une syllabe du nom de la marque. Mais on ne lui propose toujours que des articles de qualité inférieure. Là aussi, il observe avec insistance la démarche de la jeune femme qui le sert. Des souvenirs d'enfance lui reviennent à l'esprit, le troublent. Il se rend alors à la clinique pour interroger le docteur Juard.

Une représentation précise, mais fausse, du « suicide » de Dupont se mêle dans l'esprit du commissaire Laurent à une suite de conjectures compliquées touchant à la mort de ce dernier ; le commissaire cependant se rapproche de la solution correcte : Dupont n'est pas mort. A cet endroit, vers le milieu du roman, on commence à se douter que les renseignements « complets » fournis au lecteur sur la situation de Wallas et de Dupont recouvrent un mystère qui va s'épaississant. Le lecteur, qui jusqu'alors suivait les efforts d'un groupe de personnes cherchant à découvrir ce que lui, lecteur, sait déjà, s'attache désormais aux errements d'un homme attiré dans une voie obscure vers un dénouement encore insoupçonné.

Laurent reçoit la visite de Marchat, qui craint d'être tué s'il va rechercher les documents de Dupont. Marchat imagine déjà la lente montée vers le bureau du professeur où il va trouver la mort. Effrayé tant par cette vision que par les questions de Laurent, il décide de quitter la ville sans accomplir sa mission.

Déjeunant dans un restaurant « self-service », Wallas surprend une conversation entre trois employés de chemin de fer, qui semble avoir rapport avec l'affaire Dupont. Accablé par un sentiment de défaite, Wallas médite. Il se rappelle les bizarres conditions de son emploi d'agent spécial : son chef Fabius (personnage parodique venu tout droit de Simenon, sinon de *Fantomas*) avait exigé, suivant le règlement, que le front de Wallas ait au moins 50 cm^2 de superficie ; quand le calcul exact avait démontré qu'il manquait un peu moins de 1 cm^2, on n'avait accepté Wallas qu'à l'essai.

Avisé du fait qu'on avait vu entrer à la grande poste un homme vêtu d'un imperméable, Wallas s'y rend en hâte. A sa grande surprise, on l'y « reconnaît » et lui remet une lettre. Wallas ouvre la lettre devant Laurent, mais ne comprend pas son contenu : c'est une communication de Bona à un nouveau tueur à gages, « André VS », qui doit remplacer Garinati ce jour-là dans l'exécution du dixième assassinat politique de la série. Laurent ne saisit pas non plus les termes de la lettre ; il l'écarte et se replonge dans ses conjonctures.

Pour la troisième fois, Wallas entre dans une papeterie à la recherche de la gomme introuvable. Dans un retour en arrière aux valeurs inversées (un peu à la manière d'une photographie « solarisée » de Man Ray), Wallas voit un peintre dans les ruines d'un décor classique, travaillant à un tableau qui se métamorphose, au cours de sa description, en une photo de la villa du crime. Wallas se rend compte soudain que la marchande de la première papeterie ne peut être que l'ex-femme de Dupont.

Une entrevue a lieu avec Evelyne Dupont (car il s'agit bien d'elle) dans son arrière-boutique, où Wallas étudie avec une extrême attention les photographies posées sur le bureau, représentant un homme d'âge mûr et une femme accompagnée d'un petit garçon. Quelqu'un entre dans le magasin, Evelyne va le servir. A son retour, elle dit que le client a acheté une carte postale de la maison Dupont. Wallas se lance à sa poursuite, mais perd sa trace. Une série d'entretiens avec les employés de la poste ont pour seul résultat d'impliquer davantage encore Wallas dans des témoignages contradictoires tendant à le désigner, lui, comme l'individu qui a reçu les lettres suspectes.

Un inspecteur adjoint à Laurent présente par écrit une nouvelle théorie du crime : Dupont a un fils naturel, et ce serait lui le coupable. On a vu en effet un jeune homme rôder autour de la villa du professeur, flanqué d'un ami d'aspect louche. Suit une scène — fausse — dans laquelle l'ami du fils tue Dupont. Mais cette version ne convainc pas plus Laurent, qui s'efforce de la recréer en imagination. Le docteur Juard attend Wallas à la gare, où il lui a fixé rendez-vous pour ne pas avoir à le recevoir à la clinique, où Dupont se cache encore. L'entretien entre Juard et Wallas n'apporte aucune lumière nouvelle à ce dernier, quoique le docteur ait mentionné certains indices importants. De retour à la clinique, Juard apprend à son tour que Marchat n'ira pas chercher chez Dupont les papiers dont le professeur a besoin.

Sur la cheminée de sa chambre, devant le miroir, Garinati change l'arrangement des objets et des statuettes. Descendu dans la rue, il imagine Bona en train de visiter la maison du crime pour contrôler son rapport. Quand il tire de la poche la carte postale achetée chez Evelyne, le lecteur comprend que c'est lui, Garinati, qui est entré dans la boutique pendant la visite de Wallas. Le temps à ce moment subit une étrange compression : Garinati regarde passer sous un pont une péniche qui baisse sa cheminée, en un paragraphe idendentique à celui qui, quarante pages plus tôt, avait précédé le chapitre entier.

La nuit tombe. Wallas se remémore les événements de la journée, les confond, les entremêle, les déforme. Il retourne chez Mme Bax. Au café, l'ivrogne discute avec lui du sens du mot « oblique », et propose à nouveau, dans des versions contradictoires, sa devinette.

Laurent reçoit une lettre contenant une photo du lieu du crime — qu'il ne reconnaît pas —, sur laquelle est écrit : « Rendez-vous ce soir à sept heures et demie ». Il montre cette carte à Wallas, qui, reconnaissant (sans le dire) la villa, décide d'y retourner. En route, il lutte avec des souvenirs obscurs ; il se voit debout sur les marches d'un temple en ruines, jouant un rôle imprécis dans une scène qui lui échappe. Soudain il se souvient : la personne que sa mère l'avait emmené voir dans cette ville, il y a si longtemps, était son *père*. Il s'arrête de nouveau pour demander une gomme dans une papeterie : nouvel échec. Tout à coup, il se décide à retourner chez le professeur Dupont, persuadé maintenant que l'assassin y viendra, conformément au rendez-vous donné sur la carte postale. Wallas se saisira du criminel et résoudra l'énigme.

L'entrée de Wallas dans la maison du crime, sa montée vers le bureau du professeur, son entrée dans le bureau, sont autant de reprises, avec de légères variantes, des démarches que Garinati a effectuées au début du roman. Wallas attend.

Laurent, assis à son bureau, est enfin parvenu à la solution correcte : Dupont n'est pas mort. Il cherche à joindre Wallas au café. L'action se précipite. De la clinique, Dupont décide d'aller reprendre lui-même ses documents. Ce n'est pas sans une certaine angoisse qu'il revient chez lui : il prend dans un tiroir le revolver que Wallas vient d'y remettre et pousse la porte de son bureau. Il est 7 h. 30. Wallas est là. Les deux hommes tirent ensemble. Mais le pistolet du professeur s'enraye, et Dupont tombe, tué par Wallas. Le bracelet-montre de ce dernier, arrêté depuis vingt-quatre heures, se remet en marche. Le téléphone sonne de nouveau. Laurent est à l'appareil ; il a deviné que Wallas allait probablement retourner chez Dupont et veut lui annoncer la vérité : Dupont n'est pas mort !

Au début de l'épilogue, nous sommes de nouveau dans la salle du café, de bonne heure le lendemain matin. Garinati entre et demande Wallas, que Bona l'a désormais chargé de surveiller. Il s'est rendu pendant la nuit dans tous les hôpitaux de la ville, et il a vu le corps de Daniel Dupont, qu'il a donc bien tué, en fin de compte. Wallas, dans sa chambre, observe ses pieds gonflés — que de kilomètres n'a-t-il pas faits en vingt-quatre heures ! Il médite sur son échec total, sur l'ironie du sort : c'est lui, le détective, qui a tué la victime. Son image dans le miroir lui montre un visage tellement fatigué et creusé par l'insomnie qu'il ressemble maintenant à celui de la photo d'identité. Il ne lui reste plus qu'à regagner la capitale et attendre la décision que Fabius va prendre à son encontre.

Antoine, qui avait déclaré au début que la victime s'appelait *Albert* et non *Daniel* Dupont, fait une entrée triomphale : le journal annonce en effet qu'Albert

Dupont a été assassiné dans la nuit (le lecteur devine que c'est la dixième victime de Bona et de sa bande). Wallas essaie en vain de persuader l'ivrogne de répéter sa devinette : celle que l'homme propose maintenant est tout à fait différente. Dans un monologue intérieur incohérent, le patron ressasse le souvenir d'une conversation téléphonique avec Laurent, au sujet d'une rumeur alléguant qu'un fils de Daniel Dupont aurait fréquenté son établissement.

Dans une transition vertigineuse, lyrique, le lecteur-spectateur passe du miroir-aquarium du bar à un domaine lointain, aqueux, une surface ondulante où flottent « les vieux tonneaux, les poissons morts, les poulies et les cordages, les bouées, le pain rassis, les couteaux et les hommes ». Le cercle du temps s'est refermé sur Wallas, le roman est terminé.

Une lecture très superficielle pourrait à la rigueur faire passer *les Gommes* pour un ingénieux roman policier à dénouement-surprise, un peu dans le genre du fameux *Trent's Last Case,* ou *le Meurtre de Roger Ackroyd,* où le détective-protagoniste se révèle être en fin de compte le vrai coupable. On peut même, jusqu'à un certain point, comparer *les Gommes* au *Voyeur,* en ce sens que dans *le Voyeur,* la culpabilité du héros n'affleure que vers la fin du récit. Mais une lecture plus attentive laisse apparaître de nombreux éléments qui semblent bien constituer un système d'allusions à « quelque chose d'autre », fondé sur un jeu de reflets, de décalages, de dédoublements.

Le passage suivant, qui est extrait des premières pérégrinations de Wallas dans la ville, offre un exemple typique de cette écriture :

> [...] Il y a trois affiches jaunes [...] avec un titre énorme en haut : Attention Citoyens ! Attention Citoyens ! Attention Citoyens ! [...] Le genre de littérature que personne ne lit jamais, sauf, de temps à autre, un vieux monsieur qui s'arrête, met ses lunettes et déchiffre avec application le

texte entier [...] se recule un peu pour considérer l'ensemble en hochant la tête [...] puis reprend sa route avec perplexité, se demandant s'il n'a pas laissé échapper l'essentiel. Au milieu des mots habituels se dresse çà et là comme un fanal quelque terme suspect, et la phrase qu'il éclaire de façon si louche semble un instant cacher beaucoup de choses, ou rien du tout (p. 52-53).

Il n'est guère besoin d'insister sur la « duplicité » d'un tel passage, qui avertit le lecteur de la présence d'éléments *essentiels* qu'il risque de laisser échapper.

Aux phrases polyvalentes, aux allusions ambiguës, aux images « déboîtées », il faut ajouter les multiples aspects que revêt dans l'œuvre le *temps* lui-même. On sait que beaucoup d'auteurs modernes ont essayé de détruire la chronologie linéaire du roman traditionnel, cherchant de diverses manières à « capter » le passé, à créer une durée multiple liée à chacun des personnages, à dissoudre la rigidité du temps en introduisant des fragments de durée passée dans la durée présente, à imaginer une durée « en expansion », qui fasse de l'espace d'un jour ou d'une nuit un cycle universel (cf. *Finnegans Wake* de Joyce). Dans *les Gommes*, Robbe-Grillet, utilisant des procédés qui ne sont pas sans rapport avec ceux qu'on vient d'évoquer, propose d'abord d'évincer de son roman le temps linéaire — la chronologie de l'horloge — et de le remplacer par ce qu'il a appelé « le temps humain ». Ce temps humain est celui que chacun secrète autour de lui comme un cocon, tissé de retours en arrière, de conjectures visualisées, de réexamens du passé, d'anticipations et de visions déformées. Comme le dit Sartre, à qui Robbe-Grillet doit beaucoup, il n'y a pas dans l'univers romanesque de « point de vue privilégié », pas plus que de repère absolu dans le temps qui puisse indiquer qu'un « système » est en mouvement ou au repos.. Le même événement prend autant d'aspects différents qu'il y a d'observateurs, et à tout instant chaque observateur peu changer de perspective. Comme chez Einstein (c'est encore Sartre qui le signale), temps et espace sont relatifs, et varient avec l'observateur, son emplacement, son « cadre de référence ».

Semblable « temps humain » constitue en vérité un temps *existentiel,* puisqu'il est fonction d'un observateur placé dans une *situation* particulière. Considérée sous cet angle, chacune des « solutions » proposées par les divers personnages des *Gommes,* chacune de leurs interprétations des événements est « vraie », ou du moins possible. Il s'ensuit que la réalité extérieure se fait incertaine, vacille, s'effondre — thème qui s'annonce, en effet, dès la première page du prologue :

> Bientôt malheureusement le temps ne sera plus le maître. Enveloppés de leur cerne d'erreur et de doute, les événements de cette journée, si minimes qu'ils puissent être, vont dans quelques instants commencer leur besogne, entamer progressivement l'ordonnance idéale, introduire çà et là, sournoisement, une inversion, un décalage, une confusion, une courbure, pour accomplir peu à peu leur œuvre : un jour, au début de l'hiver, sans plan, sans direction, incompréhensible et monstrueux (p. 11).

Dans cette optique, certains éléments qui paraissent objectivement faux (par exemple, la conviction d'Antoine que c'est *Albert* Dupont qui a été assassiné, ou la théorie de l'adjoint du commissaire selon laquelle le meurtrier de Dupont serait son fils naturel) peuvent trouver leur authentification *après coup,* de même que certaines conclusions correctes (la déduction du commissaire selon laquelle Dupont serait toujours en vie) peuvent être infirmées par un dénouement qui renvoie toute l'action, moyennant quelques différences subtiles, à son point de départ. Dans un certain sens, les vingt-quatre heures de l'action centrale restent « en dehors » du temps, ou « en trop » : c'est ce qu'enregistre très objectivement le bracelet-montre de Wallas, qui s'arrête à la seconde même où Garinati tire son coup de pistolet, puis se remet en marche à l'instant de la mort de Dupont, quand Wallas, abattant le malheureux, recrée par cet acte la situation exacte qui *semblait* régner la veille à la même heure.

Bien qu'accomplissant à la fin du livre une action qui semblait déjà appartenir au passé, Wallas ne fait pas figure d'intrus envahissant gratuitement une intrigue privée de son développement interne. Il est, au sens le plus profond du terme, et sans jamais s'en rendre parfaitement compte lui-même, le *protagoniste* d'un drame empreint d'une ironie à la fois tragique et parodique.

L'aventure de Wallas dans *les Gommes* est une version moderne de la tragédie d'Œdipe. L'épigraphe du livre, traduite de l'*Œdipe-Roi* de Sophocle (avec une légère modification), annonce le thème : « Le temps, qui veille à tout, a donné la solution malgré toi ». Le prologue, les cinq actes (sous forme de chapitres) et l'épilogue fourmillent d'allusions plus ou moins cachées à la légende grecque ; il n'est pas jusqu'aux chœurs de la tragédie classique qui ne se retrouvent dans ces passages « neutres » qui au premier coup d'œil peuvent passer à tort pour des interventions d'un auteur « omniscient ». Presque tous les éléments du livre, et principalement le destin d'un homme qui a juré de découvrir l'identité d'un meurtrier qui n'est autre que lui-même, tirent leur origine de la célèbre légende devenue mythe (4).

On lit dans le *Petit Larousse* que « le nom d'Œdipe est passé dans la langue pour désigner les personnes

---

(4) Seul Samuel Beckett, d'après Robbe-Grillet, a remarqué tout de suite que *les Gommes* était basé sur le thème d'Œdipe. Quelque temps après la parution du livre, les Editions de Minuit ont publié une brochure (inspirée par Robbe-Grillet) qui révélait le parallèle et donnait quelques précisions. Dès la sortie de la brochure, les critiques ont commencé à mentionner Œdipe à propos du roman ; plusieurs, dont Jean-Michel Royer, ont fait des rapprochement perspicaces. La plupart des allusions relevées ici sont pourtant passés inaperçues de la critique, qui, dans l'ensemble, a négligé presque entièrement le rôle que jouent ces correspondances dans le fonctionnement du roman. Bernard Dort, par exemple, dit que le lecteur ne doit tenir aucun compte de ces « références [...] dont Robbe-Grillet se joue et nous joue », et doit lire l'ouvrage de façon superficielle, en évitant consciemment tous les « pièges » que l'auteur lui a tendus (*Les Temps modernes,* janvier 1954, p. 1335). Une telle interprétation non seulement nuit à l'unité véritable du roman, mais risque de le rendre incompréhensible. Il est curieux que Roland Barthes, qui ne mentionne pas Œdipe à propos des *Gommes,* rattache, dans *le Voyeur,* la découverte tardive que Mathias fait de sa culpabilité — par ce que Barthes appelle sa « conscience re-faisante » — au thème d'Œdipe (« Littérature littérale », in *Critique,* septembre-octobre 1955).

qui savent trouver le mot des énigmes, la solution des questions obscures ». Certes, c'est bien un héros de ce type que nous trouvons ici, mais parodique, presque caricatural, qui, cherchant le meurtrier, tue la victime. Mais il y a là également une image plus profonde de la condition humaine, où l'on discerne les origines anciennes de la légende d'Œdipe, découlant d'un mythe solaire (le meurtre du jour par la nuit, peut-être), aussi bien que ce « complexe » que la doctrine freudienne a isolé, et qui contribue sans doute à créer ce singulier et « profond remuement », selon le mot de Jean Cayrol. Gaston Bachelard n'a-t-il pas déclaré péremptoirement qu'une œuvre d'art « ne peut guère recevoir son unité que d'un complexe » ? Ajoutant que si le complexe fait défaut, l'œuvre, coupée de ses racines affectives, ne peut plus communiquer avec l'inconscient et cesse de fonctionner comme œuvre d'art. *Les Gommes,* de même que les romans postérieurs de Robbe-Grillet, suit d'une certaine manière ce principe en faisant appel aux forces psychologiques inconscientes aussi bien que conscientes (5).

L'exemple de James Joyce, qui construit, comme dit T. S. Eliot dans *Ulysses, Order and Myth,* une correspondance continue « entre contemporanéité et antiquité », par l'utilisation parallèle des péripéties de l'Odyssée et des événements de la vie de Stephen-Télémaque et de Bloom-Ulysse, peut avoir influencé Robbe-Grillet dans son choix d'une légende classique à motifs mythiques ou archétypiques. Le dessin circulaire de l'action des *Gommes,* comme la puissante énergie inconsciente développée par la situation « œdipienne », peuvent être rapprochés à leur tour de la structure cyclique et mythique de *Finnegans Wake,* ouvrage qui reste incompréhensible si on ne se réfère à chaque instant aux idées puisées par Joyce dans Vico et Freud. Nul doute, en tout cas, que Joyce ne soit un des rares

---

(5) Bachelard développe principalement cette idée dans *la Psychanalyse du Feu.* Voir aussi l'article de Marie Delcourt, « Mythopoétique », dans la *N.R.F.* de février 1954.

auteurs modernes — avec Kafka, Faulkner, Raymond Roussel, un ou deux autres pencore peut-être — auxquels Robbe-Grillet reconnaisse une dette littéraire.

Qu'il y ait un rapport étroit entre certaines tragédies grecques, ou même le système tragique des Grecs tout court, et le roman policier, voire le roman en général, personne ne saurait le nier. Dans un fort bel essai sur ce sujet, le poète anglais W.H. Auden (6) fait une étude comparative de la structure des tragédies classiques et des romans policiers, aboutissant à une solide défense de ces derniers, qui, selon lui, reposent sur des bases esthétiques et psychologiques identiques. Auden caractérise comme suit les éléments essentiels que les deux genres auraient en commun : dissimulation d'un mystère, péripétie ou situation renversée, découverte ou reconnaissance, catharsis. Sa remarque selon laquelle « dans la tragédie grecque, le spectateur connaît la vérité, mais les personnages ne la connaissent pas, ils ne font que découvrir ou provoquer l'inévitable », pourrait presque servir d'épigraphe aux *Gommes*. D'ordinaire, le lecteur de roman policier ignore la vérité exacte jusqu'à l'ultime dénouement. Dans *les Gommes,* il est à la fois renseigné sur la vérité (Dupont n'est pas mort) et très loin de la prévoir (Wallas va tuer Dupont). Le protagoniste ne connaît ni le vrai présent ni le vrai futur, mais fera accomplir l'inévitable.

Les allusions des *Gommes* au mythe d'Œdipe sont trop nombreuses et forment un réseau trop vaste pour qu'on puisse les étudier à fond ; il convient donc de choisir les plus importantes d'entre elles et d'éclairer leur rôle. L'allusion la plus évidente peut-être a trait

---

(6) Voir W. H. Auden, « The Guilty Vicarage », *Harper's*, mai 1948. Ce très original article a suscité maintes réactions des critiques européens, entre autres l'essai du critique italien Edoardo Sanguinetti, où les principes d'Auden sont mis en pratique pour étudier *l'Emploi du Temps* de Butor, roman assez influencé par *les Gommes* et dans lequel un mythe grec joue un rôle très important (« Butor, une machine mentale », *Il Veri*, III, 2, 1959).

à l'énigme du Sphinx. Après une première version fragmentaire dans le prologue, la devinette proposée par l'ivrogne au café des Alliés (origine dans la tragédie grecque : l'ivrogne qui fait surgir les premiers doutes dans l'esprit d'Œdipe) revient dans toutes sortes de variantes ambiguës :

> — Quel est l'animal qui est parricide le matin, inceste à midi et aveugle le soir ? [...]
>
> — Alors, insiste l'ivrogne, tu trouves pas ? C'est pourtant pas difficile : parricide le matin, aveugle à midi... Non... Aveugle le matin, inceste à midi, parricide le soir. Hein ? Quel est l'animal ? [...] Hé, copain ! Sourd à midi et aveugle le soir ? (p. 234).

C'est la version « aveugle le matin, inceste à midi, parricide le soir » qui s'applique le mieux au cas de Wallas, qui est incapable de voir clair dans l'énigme le matin où il entreprend son enquête, regarde d'un œil équivoque sa belle-mère à midi (Evelyne, d'après certains indices peu clairs, serait *peut-être* aussi sa sœur), et tue le soir celui qu'on peut supposer être son père. Le Sphinx lui-même apparaît brièvement dans un arrangement passager de débris flottant à la surface d'un canal. Des miettes, quelques bouchons, un morceau de bois noirci, un bout de pelure d'orange forment

> [...] un animal fabuleux : la tête, le cou, la poitrine, les pattes de devant, un corps de lion avec sa grande queue, et des ailes d'aigle (p. 37).

L'enfant Œdipe abandonné (Wallas a évidemment souffert le même sort) transparaît dans les motifs brodés des rideaux de fenêtres que Wallas observe en passant : « Sous un arbre, deux bergers en costume antique font boire le lait d'une brebis à un petit enfant nu » (p. 50). Wallas songe même au côté peu hygiénique du procédé de sevrage utilisé pour son prototype mythique insoupçonné (p. 108). Le thème de l'enfant abandonné, ou non reconnu, s'accole petit à petit aux souvenirs d'un séjour que Wallas aurait fait dans la même ville, voici longtemps, pour voir un « parent » (p. 46, 59, 136, 239). Parallèlement, l'adjoint du commissaire propose une théorie selon laquelle le meurtre de Dupont aurait été perpétré par un « enfant naturel » abandonné, ou non reconnu, du professeur.

Le chariot qui conduisait Laïus, père d'Œdipe, vers la mort sur la route de Corinthe (cf. « la rue de Corinthe » du roman), où le roi est attaqué par une bande de voleurs (cf la « bande » de terroristes employée par Bona), selon la version officielle, mais fausse, de l'assassinat dans la tragédie grecque, se reconnaît dans la statue qui s'élève au centre de la place de la Préfecture — mais Wallas ne le reconnaît pas :

> Au milieu de la place se dresse, sur un socle peu élevé que protège une grille, un groupe en bronze représentant un char grec tiré par deux chevaux, dans lequel ont pris place plusieurs personnages, probablement symboliques, dont les poses sans naturel ne s'accordent guère avec la rapidité supposée de la course (p. 62).

En repassant plus tard près de la statue, Wallas remarque l'inscription : « Le Char de l'Etat — V. Daulis, sculpteur » (p. 85), allusion nette, mais qui échappe naturellement à Wallas, à la « route de Daulia » dans *Œdipe-Roi,* sous une forme (Daulis) qui renferme en plus, comme par pure coïncidence, un anagramme de Laïus. Dans un tramway, Wallas écoute la conversation de deux femmes qui se racontent un événement compliqué de la manière dont « les petites gens aiment à commenter les événements glorieux de la vie des grands criminels et des rois ». Leurs remarques contiennent des allusions cachées au chariot de Laïus, à l'oracle de Delphes qui déclanchait la fuite d'Œdipe de Corinthe à Thèbes, au danger de la rencontre avec un père qu'il ne reconnaît pas, etc. (p. 129-130). Apollon, dieu des oracles et de la prophétie, se retrouve dans beaucoup d'allusions. Sur la cheminée de la chambre de Garinati (qui figure lui-même un sosie ou une image « réfléchie » de Wallas), se trouve la statuette d'un « beau lutteur [qui] s'apprête à écraser un lézard » (thème classique de la représentation sculptée d'Apollon). La position de cette statuette par rapport à une autre représentant « un vieil aveugle guidé par un enfant » (allusion à Tirésias guidé par un jeune garçon dans *Œdipe-Roi*) subit des réaménagements successifs, des déplacements reflétés par le miroir en des séries de dédoublements visuels (p. 217). Lorsque l'ivrogne du café se lance dans une discussion prolixe sur le sens du mot « oblique » (p. 232-234), les références aux lignes droites et obliques sont en rapport non seulement avec les soucis que se fait Garinati pour suivre, en montant l'escalier, la « ligne droite » qui le mènera au crime (p. 23-25), mais aussi avec le terme *oblique* employé dans les allusions classiques à Apollon (*loxias*) en raison du caractère « oblique » de ses oracles.

Oracles, prophéties, prédictions, percent dans nombre d'allusions qui restent ignorées du protagoniste (et peut-être aussi du lecteur). Un titre de journal annonce que « la voyante abusait ses clients » (p. 64). Le bâtiment de la poste centrale devient une sorte de temple pour la diffusion des messages secrets, la célébration de « multiples rites, le plus souvent incompréhensibles », la reproduction d'« écritures sibyllines » (p. 192), la gare, le lieu d'un oracle indéchiffrable et terrifiant (p. 208). Le thème des oracles ne se limite pas au parallèle classique. Le vrai nom de Bona suggère la bonne aventure et les cartes des bohémiens, et nous mène au centre des allusions les plus cachées des *Gommes*, celles qui ont trait aux cartes du Tarot. Ces cartes, dont les figures remontent aux allégories médiévales et plus loin encore, et qui ont fasciné des écrivains aussi divers que Gérard de Nerval (cf. le fameux sonnet *El Desdichado*) et T. S. Eliot (un passage bien connu de *Waste Land* est basé sur la carte du *Pendu*), comptent vingt-deux « arcanes majeurs », dont vingt et un sont numérotés et le dernier « sans numéro ». Cette lame sans numéro s'appelle le *Mat*, personnage qui n'est autre, comme on le voit à son bonnet et ses clochettes, que le Fou du Roi. Or, lorsque Garinati monte l'escalier en direction du cabinet de travail de Dupont, on lit :

> L'escalier se compose de vingt et une marches de bois, plus tout en bas, une marche de pierre blanche, sensiblement plus large que les autres et dont l'extrémité libre,

arrondie, porte une colonne de cuivre aux ornementations compliquées, terminée en guise de pomme par une tête de fou coiffée du bonnet à trois clochettes. [...]

Au-dessus de la seizième marche, un petit tableau est accroché au mur, à hauteur du regard. C'est un paysage romantique représentant une nuit d'orage : un éclair illumine les ruines d'une tour ; à son pied on distingue deux hommes couchés, endormis malgré le vacarme ; ou bien foudroyés ? Peut-être tombés du haut de la tour. [...] L'ensemble paraît de facture assez ancienne (p. 24).

Si les vingt et une marches de bois suivies d'une unique marche de pierre peuvent sembler de pure coïncidence, l'allusion claire au Fou ôte tout doute sur la volonté de parallèle. La description du tableau accroché au-dessus de la seizième marche, qui reproduit la figure de la seizième lame du Tarot, la *Maison Dieu*, est également décisive (7).

De plus, les thèmes du Tarot ne sont pas insérés dans le roman de façon gratuite : ils y sont soigneusement intégrés et y jouent un rôle de renforcement des motifs essentiels (le destin, les oracles, etc.). Le fait que le Mat, considéré normalement comme le numéro vingt-deux, se trouve, pour ainsi dire, au commencement de la série (puisque la marche qui le représente, en pierre « blanche », se trouve au bas de l'escalier) pourrait signifier que cette lame, ou carte, doit être interprétée (selon le langage des diseurs de bonne aventure) comme étant en situation « renversée ». Voici la signification, donnée par un manuel courant du Tarot, de cette carte renversée :

Le Mat... Renversée : Le Mat étant un personnage en marche, signifie qu'il est tombé ou qu'on l'arrête dans sa marche.

(*Ancien Tarot de Marseille*, Paris, Grimaud, p. 55.)

---

(7) Le lecteur qui ne pourrait consulter un jeu du Tarot trouvera une description des divers arcanes dans n'importe quelle histoire de la magie. Je cite la description que donne Kurt Seligmann de l'arcane 16, la *Maison Dieu* : « Deux hommes que l'on précipite du haut d'une tour foudroyée » (*History of Magic*, Pantheon, 1948, p. 226). Je ne crois pas qu'on ait signalé jusqu'ici ces allusions au Tarot cachées dans le texte des *Gommes*.

Or, c'est précisément au moment où Garinati va placer son pied sur cette première marche blanche qu'on trouve le premier exemple, dans les ouvrages de Robbe-Grillet, d'une scène se figeant dans une immobilité parfaite (8). Garinati, le « personnage en marche », s'immobilise soudain dans une fraction de durée qui, étant un morceau d'éternité, semble éternelle :

> L'escalier de cette maison comporte vingt et une marches, le plus court chemin d'un point à un autre [...]
>
> Soudain [...] dans ce décor fixé par la loi, sans un pouce de terre à droite ni à gauche, sans une seconde de battement, sans repos, sans regard en arrière, l'acteur brusquement s'arrête, au milieu d'une phrase [...] Il le sait par cœur, ce rôle qu'il tient chaque soir, mais aujourd'hui il refuse d'aller plus loin.
>
> Autour de lui les autres personnages se figent, le bras levé ou la jambe à demi fléchie. La mesure entamée par les musiciens s'éternise [...] il faudrait faire quelque chose maintenant, prononcer des paroles quelconques, des mots qui n'appartiennent pas au livret. [...] Mais, comme chaque soir, la phrase commencée s'achève, dans la forme prescrite, le bras retombe, la jambe termine son geste. Dans la fosse, l'orchestre joue toujours avec le même entrain.
>
> L'escalier se compose de vingt et une marches [...] plus [...] une marche de pierre blanche [...] (p. 23-24).

De même, le sens attribué à la lame seize, l'arcane majeur nommé la *Maison Dieu,* est le même dans l'interprétation conventionnelle du manuel du Tarot que dans l'explication avancée ici des intentions de l'auteur. Le manuel dit :

> La Maison Dieu... *Sens abstrait* : Les constructions fictives des désirs de l'homme, qu'il croit édifier fortement et que la flamme même de son désir dévore et ainsi *entraîne sa chute.*
>
> *Sens pratique* : Projet brutalement arrêté. Toujours, elle signifie *coup de théatre, choc inattendu.*
>
> (*Ancien Tarot de Marseille,* Grimaud, Paris, p. 40.)

---

(8) On a vu dans le premier chapitre que l'idée d'un objet arrêté dans sa chute, par exemple, a toujours fasciné Robbe-Grillet d'une manière presque obsessionnelle (voir le commentaire sur l'essai consacré à Joë Bousquet). L'étude du *Voyeur,* du *Labyrinthe* et surtout de *Marienbad* prouve que cette hantise persiste chez l'auteur et doit bien constituer chez lui, sans doute à plusieurs niveaux, une obsession à la fois personnelle et « stylistique ». Wylie Sypher compare les actions figées de Robbe Grillet aux techniques de certains peintres abstraits comme Soulages (voir *Rococo to Cubism in Art and Literature,* 1960).

Lorsque Wallas, plus tard, voit ce tableau accroché au mur à la hauteur de la seizième marche (quand il monte lui-même l'escalier pour rejouer le rôle de Garinati), l'un des deux personnages de l'image a pris une vêture royale (le roi Laïus) : « L'un porte des habits royaux, sa couronne d'or brille dans l'herbe à côté de lui » (p. 243).

Parmi les images et analogies œdipiennes des *Gommes,* les allusions aux temples et aux ruines de Thèbes jouent un rôle essentiel. D'abord entrevue sous la forme d'un dessin au crayon dans la vitrine d'une papeterie, Thèbes, la « cité perdue » où le drame d'aujourd'hui s'est autrefois déroulé pour la première fois, apparaît comme en filigrane, avec ses temples, ses palais, ses chapiteaux, et ses colonnes, derrière les rues et les canaux de la ville nordique qui en est la réplique :

> Un mannequin [...] est en plein travail devant son chevalet. [...] Il met la dernière main à un paysage au crayon d'une grande finesse — qui doit être en réalité quelque copie de maître. C'est une colline où s'élèvent, au milieu des cyprès, les ruines d'un temple grec ; [...] au loin, dans la vallée, apparaît une ville entière avec ses arcs de triomphe et ses palais — traités, malgré la distance et l'entassement des constructions, avec un rare souci de détail. Mais devant l'homme, au lieu de la campagne hellénique, se dresse en guise de décor un immense tirage photographique d'un carrefour de ville, au vingtième siècle. [...] Tout à coup Wallas reconnaît l'endroit : [...] c'est l'hôtel particulier qui fait l'angle de la rue des Arpenteurs (p. 131).

Lorsque plus tard Wallas repense à cette vitrine, il revoit la scène sous une forme inversée. Le modèle et le tableau, l'original et la copie échangent leurs rôles. Le peintre-mannequin se tient maintenant debout devant les ruines de Thèbes, et son dessin se transforme, se métamorphose en une *photographie* qui rejoint ainsi l'épreuve que Wallas avait aperçue, à sa grande surprise, à l'endroit où justement les ruines Thèbes étaient érigées en décor de vitrine :

> Les ruines de Thèbes.
>
> Sur une colline qui domine la ville, un peintre du dimanche a posé son chevalet, à l'ombre des cyprès, entre les tronçons de colonnes épars. Il peint avec application, les yeux reportés à chaque instant sur le modèle ; d'un

pinceau très fin il précise maints détails qu'on remarque à peine à l'œil nu, mais qui prennent, reproduits sur l'image, une surprenante intensité. Il doit avoir une vue très perçante. On pourrait compter les pierres qui forment le bord du quai, les briques du pignon, et jusqu'aux ardoises du toit. Au coin de la grille, les feuilles des fusains luisent au soleil, qui en accuse quelques contours. Par derrière, un arbuste dépasse au-dessus de la haie, un arbuste dénudé dont chaque branchette est marquée d'un trait brillant, du côté de la lumière, et d'un trait noir du côté de l'ombre. Le cliché a été pris en hiver, par une journée exceptionnellement claire. Quelle raison la jeune femme pouvait-elle avoir de photographier ce pavillon ? [...]

Elle ne peut pas en avoir été locataire avant Dupont. [...] Sa femme ?. [...] Une quinzaine d'années de moins que son mari [...] brune aux yeux noirs. [...] C'est elle ! [...]

Il [Wallas] suit à nouveau la flèche en direction de la papeterie Victor-Hugo (p. 177-178).

On note dans ce passage une matérialisation quasiment visionnaire de l'effort fait par Wallas pour percer le problème de son identité, et notamment de sa relation avec cette femme qui est sans doute sa belle-mère et peut-être sa sœur (car la photo peut aussi bien représenter la mère de Wallas que celle d'Evelyne). De ces phantasmes solarisés où se jouent les rapports de Thèbes avec la ville nordique, surgit chez Wallas une première déduction exacte : il a au moins deviné qu'Evelyne est l'ex-femme de Dupont.

Enfin, au moment où Wallas progresse vers cet acte final qui va constituer le point culminant de son destin œdipien, il se rend vaguement compte qu'il est, ou a déjà été, le protagoniste de quelque drame ancien (le thème de l'acteur s'annonçait déjà dans le passage où Garinati se « fige », immobile). Un second effort pour prendre conscience de soi-même, objectivé cette fois encore par un décor grec, mène Wallas à une nouvelle découverte partielle : il comprend tout à coup que le « parent » à qui il rendait visite dans cette ville en compagnie de sa mère n'était autre que son *père* :

La scène se passe [...] sur une place rectangulaire dont le fond est occupé par un temple (ou un théâtre, ou quelque chose du même genre). [...] Wallas ne sait plus d'où lui revient cette image. Il parle [...] à des personnages. [...] Lui-même a un rôle précis, probablement de premier plan, officiel peut-être. Le souvenir devient brusquement très aigu ; pendant une fraction de seconde, toute la scène prend une densité extraordinaire. Mais quelle scène ? Il a juste eu le temps de s'entendre dire :

— Et il y a longtemps que cela s'est passé ? [...]

Wallas et sa mère étaient arrivés enfin à ce canal. [...] Ce n'est pas une parente qu'ils recherchaient : c'était *un* parent, un parent qu'il n'a pour dire pas connu. [...] C'était son père. Comment avait-il pu l'oublier ? (p. 238-239)

Chacune des trois visions de Thèbes mène Wallas à une découverte. Lorsque pour la première fois son décor de ruines apparaît dans la vitrine du magasin, il s'en faut de très peu que Wallas ne se rappelle la marque de cette gomme qu'il recherche ; à la deuxième vision, il reconnaît, du moins en partie, l'identité d'Evelyne ; à la troisième, il réussit à identifier correctement, dans le « parent » que sa mère l'emmenait voir, son père. Un romancier attaché aux techniques conventionnelles d'analyse psychologique aurait sans doute longuement décrit les détours angoissés de l'âme de Wallas aux prises avec le mystère de son identité et de sa parenté. Robbe-Grillet, lui, nous livre le contenu mental de son protagoniste sous forme de *corrélatifs objectifs* visuels et mythiques qui sont en même temps, sans doute parce qu'ils s'adressent simultanément à notre inconscient, très beaux et profondément émouvants.

Ici et là, le nom même d'Œdipe manque d'affleurer à la surface du texte — ou de la conscience de Wallas. De même que le nom de « Laïus » se cache dans « Daulis » (comme par pure coïncidence, avons-nous dit), de même le nom d'Œdipe pourrait bien constituer « le mot illisible » de la lettre adressée à « André VS » et remise « par erreur » à Wallas au guichet de la poste. En vain Wallas s'efforce-t-il de déchiffrer ce mot énigmatique : est-ce « ellipse », « éclipse », « échoppe », ou même « idem » ? Mots qui peuvent signifier respectivement l'omission d'une chose sacrée, le néant de la mort, la représentation d'une image, l'identité. Une autre allusion cachée au nom d'Œdipe se décèle dans le fait que les jambes de Wallas commencent à enfler au terme de ses longues déambulations ; le terme littéral d'Œdipe (« pieds enflés ») paraît ouvertement un peu plus tard lorsque Wallas, après avoir tué Dupont, s'assied sur son lit et remarque que « ses pieds sont enflés » (p. 259).

Mais c'est la gomme que s'obstine à chercher Wallas qui entretient le rapport le plus intéressant avec le nom d'Œdipe : on peut déduire en effet que la marque imprimée sur le cube de caoutchouc ne peut être qu'*Œdipe.* Puisque cette gomme représente pour beaucoup de critiques la « chose » robbegrilletienne par excellence, isolée et détachée de tout, exemplaire parfait de l'ustensile «objectal», concret, dont la description minutieuse serait la spécialité de l'auteur, il importe de savoir pourquoi cette gomme se nomme, de façon presque certaine, Œdipe, et de préciser son fonctionnement dans le réseau analogique du mythe œdipien du roman.

S'il y a une dichotomie dans *les Gommes* entre intrigue et « texture », alors — de même que Descartes, métaphysicien de la dualité, avait jugé nécessaire d'établir un point de contact entre l'esprit et la matière, point qu'il avait placé dans la glande pinéale — Robbe-Grillet situe le point de jonction entre ses deux mondes (celui de la légende d'Œdipe et celui de la texture existielle) dans la gomme de Wallas.

> — Je voudrais une gomme, dit Wallas.
> — Oui. Quel genre de gomme ?
> C'est là justement toute l'histoire et Wallas entreprend une fois de plus la description de ce qu'il cherche : une gomme douce, légère, friable, que l'écrasement ne déforme pas mais réduit en poussière ; une gomme qui se sectionne avec facilité et dont la cassure est brillante et lisse, comme une coquille de nacre. Il en a vu une [...] chez un ami. [...] Elle se présentait sous la forme d'un cube jaunâtre, de deux deux à trois centimètres de côté, avec des angles légèrement arrondis — peut-être par l'usure. La marque du fabricant était imprimée sur une des faces, mais trop effacée pour être encore lisible : on déchiffrait seulement les deux lettres centrales « di » ; il devait y avoir au moins deux lettres avant et deux autres après (p. 132).

Œ-*di*-pe, bien entendu. Mais, son nom mis à part cette gomme, dans sa masse compacte, irréductible, de son *être-là,* existe, plus encore que le loquet de porte ou la racine de marronnier de *la Nausée,* d'une façon neutre, extérieure à l'homme, dans cet univers non humain des choses qui n'entendent aucun appel à elles adressé par l'homme et qui ne lui font aucun signe « familier ». Cette gomme ne cache aucune correspondance baudelairienne ; elle n'a aucun lien mystique avec l'homme ; elle n'est pas, dans le sens courant du mot, un *symbole*.

L'homme pourtant, dans le système de Robbe-Grillet, peut faire de tels objets les *supports* de ses pensées et de ses passions ; ils deviennent alors non pas des talismans métaphoriques, mais plutôt l'incarnation ou le véhicule de sa vie affective. Ainsi, chaque tentative pour trouver cette fameuse gomme s'accompagne chez Wallas d'une poussée de désir érotique — désir qui, devenant de plus en plus intense, constitue un véritable corrélatif objectif du thème de l'inceste. Roland Barthe lui-même, qui refuse cependant d'admettre que les objets de Robbe-Grillet aient une fonction, concède que cette gomme est un « objet psychiatrique ».

La gomme fonctionne encore dans le roman selon deux autres modes. Cube de matière contenant le principe de sa propre négation ou annihilation, l'*effacement*, elle représente la constante d'autodestruction propre à Wallas-Œdipe (9). Elle se détruit *dans* et *par* sa propre utilisation. Soit tactilement (érotisme de la substance molle), soit idéologiquement (parallélisme du destin destructeur), la gomme se charge d'émotions projetées.

Enfin, la gomme s'inscrit dans la lignée des objets métamorphosés, dédoublés et décalés, qui meublent chacun des romans de Robbe-Grillet. Bien qu'elle ne fasse pas partie d'une série aussi développée et ramifiée que celle des objets en forme de huit du *Voyeur*, ou des taches sombres de *la Jalousie*, ce cube de caoutchouc

---

(9) Le store d'une papeterie de la rue Notre-Dame-des-Champs, à Paris, porte cette annonce : TOUT S'EFFACE DEVANT « LES GOMMES » MALLAT. Il serait plus normal évidemment que les guillemets soient ou omis tout à fait, ou placés autour du nom de la marque. L'apparition littéraire du titre « Les Gommes » constitue un bel exemple de « hasard objectif » surréaliste.

souple s'oppose nettement à un autre cube, celui qui sert de presse-papier sur le bureau de Dupont : un cube dur, en pierre. C'est Garinati, le « double », le sosie de Wallas, qui le remarque le premier :

> Une sorte de cube, mais légèrement déformé, un bloc luisant de lave grise, aux faces polies comme par l'usure, aux arêtes effacées, compact, dur d'aspect, pesant comme l'or, sensiblement de la grosseur du poing (p. 26).

Des similitudes terminologiques facilement reconnaissables prouvent l'intention de l'auteur d'apparier ces deux cubes, matériellement opposés, l'un aux « angles légèrement arrondis — peut-être par l'usure », l'autre « légèrement déformé [...] comme par l'usure, aux arêtes effacées ». Le cube du professeur (du père) est gros, dur, non friable, apte à la conservation des dossiers et de leur contenu ; celui de Wallas (le fils qui porte en soi la « faille » tragique) est mou, flexible, friable, bon seulement à l'effacement de ce qui est écrit ou dessiné, et à son propre effacement. Lorsque Wallas s'approche du bureau de Dupont, le cube de matière dure se durcit davantage, devient le support, ou le corrélatif, de l'acte que Wallas va bientôt commettre : « un cube de pierre vitrifiée, aux arêtes *vives*, aux coins *meurtriers* ». Un instant plus tard, Wallas tue son « père ».

Si, comme le mentionne Robbe-Grillet, la physique moderne nous enseigne qu'il existe entre la matière, l'espace et le temps, de multiples correspondances et échanges (mais toujours extérieurs à l'homme), il s'ensuit que les objets, dans toute leur existence phénoménologique — poids, surfaces, volumes, lignes —, peuvent revêtir des aspects tour à tour rassurants et équivoques. « Ils s'imposent tout de suite à notre esprit, affirme Robbe-Grillet, pour bientôt se voiler d'un halo, se dédoubler, ou se transformer de façon sournoise » (voir la brochure déjà citée : « Les Gommes »). Lorsque les objets se font supports des passions de l'homme, ils se chargent, à l'instar des événements, des gestes et des mots, de sens multiples.

Cette gomme multivalente fait donc la liaison entre la structure œdipienne de l'intrigue du roman (qu'on peut considérer sous divers aspects : parodie intellectuelle, parallèle mythique, principe psychiatrique unificateur) et la texture matérielle de son monde d'objets — aberrants, neutres, instables, mais toujours liés entre eux des rapports formels précis (10).

Contrairement aux objets de Sartre ou de Camus, par exemple, qui ne sont jamais complètement existentiels ou phénoménologiques, étant donné qu'ils sont

---

(10) M. Léon Roudiez a bien voulu me communiquer le manuscrit d'une étude sur *les Gommes* de Robbe-Grillet et *l'Emploi du Temps* de Butor, où l'on trouve une explication ingénieuse de la gomme de Wallas, en rapport avec les intentions qu'a pu avoir l'auteur quand il a décidé d'utiliser le mythe d'Œdipe. Selon M. Roudiez, Robbe-Grillet partage en général un point de vue « anti-grec », qui correspond cependant à celui des Grecs de l'âge d'Homère, lesquels refusaient de prêter à leurs tragédies des significations éthiques ou « tragiques ». tout le roman des *Gommes* serait donc en quelque sorte une démonstration de l'inutilité, sinon de l'impossibilité, pour l'homme contemporain, de se nourrir d'archétypes ou de mythes hérités du passé, et la gomme que cherche Wallas deviendrait un instrument symbolique destiné à effacer la continuité avec le passé humaniste. Pour M. Roudiez, la syllabe « di » pourrait tout aussi bien appartenir à un nom de marque banal, comme « Didier », selon le choix que le lecteur (l'homme moderne) ferait entre une réalité non signifiante, et même dérisoire, ou un héritage mythique. M. Roudiez étudie ensuite l'emploi du mythe de Thésée chez Butor, qui servirait au contraire, selon lui, à établir l'étroite continuité qui relie Jacques Revel et la ville de Bleston au passé antique. On pourrait conclure de ce qui précède que Robbe-Grillet adopte vis--à-vis du mythe une attitude existentialiste, tandis que Butor trouve dans le mythe une preuve essentialiste de la nature humaine. Il me paraît fort douteux que Robbe-Grillet ait voulu faire servir son roman en général, et la gomme en particulier, à l'illustration d'une thèse de ce genre, mais on doit remercier M. Roudiez d'avoir ajouté aux significations implicites de l'ouvrage une nouvelle virtualité « signifiante » qui cadre très bien, en somme, avec certaines idées exprimées par l'auteur dans « Nature, humanisme, tragédie ». Seulement, M. Roudiez ne partage pas la doctrine de Robbe-Grillet, qu'il regarde comme « erronnée [...] en raison du démenti qu'elle inflige à l'idée d'une permanence « signifiante » des mythes dans le monde contemporain ». Ses préférences vont plutôt à celle de Butor, où l'homme moderne peut apprendre à reconnaître, par exemple, qu'il revit le mythe de Thésée parce que « le labyrinthe est en lui [...] et le monstre qu'il tue est son âme ». (Léon Roudiez, « The Embattled Myths », texte inédit.)

le plus souvent inclus dans des métaphores anthropocentriques, les objets robbegrilletiens, en dépit de leur rôle de support et de leurs liaisons internes, n'expriment jamais un lien métaphysique entre l'Homme et la Nature. Robbe-Grillet ne prête jamais à ses objets, à la façon d'un Francis Ponge, une « personnalité » que l'écrivain se propose ensuite, et peut-être avec un « charme » excessif, d'exprimer. Certains critiques, qui ont compris que les *choses*, chez Robbe-Grillet, ne sont pas, comme les parfums de Baudelaire ou même la racine de marronnier de *la Nausée*, liées à l'homme par des correspondances mystiques ou autres, ont pourtant refusé d'accorder que ces objets ne sont pas non plus des symboles artificiellement créés. Mais le symbole littéraire conventionnel (la fumée de cigare représentant l'âme du poète chez Mallarmé, par exemple) exige l'établissement et la perpétuation d'analogies de forme et de fonction. Pour Robbe-Grillet, si l'objet peut « supporter » une passion, une obsession, ou toute autre charge affective, c'est pour la simple raison que l'homme ne saurait exister que par sa *perception des* objets. L'ontologie néo-existentielle de Robbe-Grillet, répétons-le, place l'homme au milieu d'objets qui, devenant les supports de ses pensées-images et de ses sentiments-images, lui permettent d'exister, et sans lesquels il cesserait d'exister, car il n'y aurait plus alors dans son esprit que néant absolu.

Cela posé, les techniques de descriptions d'objets dans *les Gommes* méritent de retenir l'attention. On est frappé d'abord par l'accumulation des termes géométriques délimitant la forme de ces objets, et par la précision de leurs localisations respectives (« la chaise à 30 centimètres », etc). Notons, parmi les termes les plus employés : ligne droite, angle obtus, carré, cubique, transversal, rectiligne, angle aigu, segment, taillé en biseau, spirale, à 90 degrés, quadrillage, beaucoup d'autres encore, dont on retrouvera la plupart, avec force additions, dans les romans postérieurs. Or, il est évident que ce « style Robbe-Grillet » correspond non seulement à une prédilection de l'auteur pour un langage objectivement précis, mais aussi aux principes ontologiques qu'il a exprimés. Ce vocabulaire géométrique « visuel » sert effectivement à « déconditionner » l'objet décrit, à le détacher du réseau affectif des termes qu'on emploie familièrement pour le représenter, pour se l'approprier. Il arrive même que cette approche sémantique rejoigne la psychologie du protagoniste, comme on le verra dans *la Jalousie.*

Les descriptions minutieuses de Robbe-Grillet font souvent penser aux peintures en trompe-l'œil, au « réalisme magique » (comme dans les tableaux de Roy) ou à la photographie. Mais ces analogies risquent de masquer les différences spécifiques qui séparent les représentations visuelles, ou picturales, des descriptions du langage écrit. Ce qui importe, ce n'est pas l'image visuelle qu'on peut former mentalement en lisant un passage comme celui qui suit, mais la réalité « verbale » — non seulement sonore, mais linguistique : l'arrangement des mots et des phrases. La preuve en serait que personne, placé devant un vrai tableau peint, basé sur le même « sujet » (par un maître du « réalisme magique » comme Roy, par exemple), ne pourrait reconstituer, à partir de ce tableau purement visuel, les phrases mêmes de la description écrite — sinon Robbe-Grillet lui-même. Dans un restaurant automatique, Wallas trouve sur son assiette :

> Un quartier de tomate en vérité sans défaut, découpé à la machine dans un fruit d'une symétrie parfaite.
>
> La chair périphérique, compacte et homogène, d'un beau rouge de chimie, est régulièrement épaisse entre une bande de peau luisante et la loge où sont rangés les pépins, jaunes, bien calibrés, maintenus en place par une mince couche de gelée verdâtre le long d'un renflement du cœur. Celui-ci, d'un rose atténué légèrement granuleux, débute, du côté de la dépression inférieure, par un faisceau de veines blanches, dont l'une se prolonge jusque vers les pépins — d'une façon peut être un peu incertaine.
>
> Tout en haut, un accident à peine visible s'est produit : un coin de pelure, décollé de la chair sur un millimètre ou de deux, se soulève imperceptiblement (p. 161).

Un tel morceau de bravoure n'est pas, pourtant, une simple nature morte, et constitue bien autre chose qu'un exercice « objectal » de matérialisation littéraire.

C'est qu'ici encore l'auteur se sert de son objet comme support des impulsions affectives de son personnage. Un élément d'*incertitude* s'insère dans toute cette précision qui signale et renforce non seulement la perplexité de Wallas, mais annonce aussi son « défaut tragique », l'erreur fatale qu'il va commettre. Ce thème est d'ailleurs repris dans une série de phrases disséminées ici et là au cours des chapitres, telles que : « Une petite place pour l'erreur », « la plus petite faille », « une tragique erreur », etc. Le défaut tragique de Wallas ressort même dans la circonstance absurde et dérisoire qu'il s'en faut d'un « seul centimètre » que son front ne satisfasse aux normes exigées par l'administration pour devenir détective en titre.

Les techniques de dédoublement, de « syncope », de décalage, permettent à Robbe-Grillet non seulement de lier les objets, et leurs arrangements, au contenu mental des personnages, mais encore d'obtenir des liaisons entre les objets eux-mêmes. Examinons brièvement les rapports et les renforcements de thèmes « objectaux » établis par l'emploi des *réflexions* — principe particulièrement important pour Robbe-Grillet, auteur d'une série de trois « Visions réfléchies » (11). Sous forme de parallèles ou d'analogies entre la structure du roman et celle du mythe qu'il reflète, les réflexions paraissent d'abord dans plusieurs passages « miroirs ». Voici le patron du café reflété et démultiplié dans un miroir :

> Au-dessus du bar, la longue glace où flotte une image malade, le patron [...] hépatique et gras dans son aqua-

(11) Peu de critiques se sont penchés sur les « textes courts » de Robbe-Grillet, qui méritent une étude à part. Il s'agit de : « Trois Visions réfléchies », *N.R.F.*, avril 1954 ; « Le Chemin du Retour », *Les Lettres Nouvelles*, août 1954 ; « La Plage », *Cahiers du Sud*, avril 1956 ; « Traduction », *Les Lettres Nouvelles*, juillet-août 1955 ; et « Dans les couloirs du métropolitain », *Les Lettres Nouvelles*, 30 septembre 1959, qui, avec « la Chambre Secrète », ont été réunis en 1962 par les Editions de Minuit sous le titre *Instantanés*. Hazel Barnes donne une analyse très intéressante des « Visions réfléchies » dans son article « The Ins and Outs of Robbe-Grillet », *Chicago Review*, hiver 61-62.

rium. [...] Dans le miroir tremblotte, déjà presque entièrement décomposé, le reflet de ce fantôme ; et au-delà, de plus en plus hésitante, la kyrielle indéfinie des ombres : le patron, le patron, le patron... (p. 11-12).

Cette vision réfléchie, corrélatif manifeste des errements de ce personnage au milieu des souvenirs diffus qu'il ressasse, trouve sa correspondance dans d'autres scènes, comme celle où Garinati déplace les objets posés sur la tablette de la cheminée, dans le moment même où il cherche à démêler ses propres incertitudes (p. 217). Mais Robbe-Grillet ne limite pas le procédé de duplication à des reflets de miroir en « litanie ». Lorsque le commissaire Laurent s'efforce mentalement de débrouiller les ficelles du meurtre, ses doigts se livrent à une gymnastique qui évoque, sous une forme nouvelle, la « kyrielle indéfinie des ombres » : se déplaçant à trop grande vitesse pour que l'œil puisse suivre leur mouvement, ils figurent véritablement le vertige d'un chaos *entropique*.

Huit doigts gras et courts passent et repassent délicatement les uns contre les autres, le dos des quatre droits contre l'intérieur des quatre gauches.

Le pouce gauche caresse l'ongle du droit, doucement d'abord, puis en appuyant de plus en plus. Les autres doigts échangent leur position, les dos des quatre gauches venant frotter l'intérieur des quatre droits, avec vigueur. Ils s'imbriquent les uns dans les autres, s'enchevêtrent, se tordent ; le mouvement s'accélère, se complique, perd peu à peu sa régularité, devient bientôt si confus qu'on ne distingue plus rien dans le grouillement des phalanges et des paumes (p. 235).

Lorsque le docteur Juard, angoissé, attend Wallas à la gare, les phénomènes de réflexion et de décalage visuel se transforment en un équivalent auditif, qui à son tour subit une déformation rapide, en corrélation avec la tension croissante du personnage qui écoute :

Une immense voix remplit le hall. Tombée de haut-parleurs invisibles, elle vient frapper de tous les côtés contre les murs chargés d'avis et de placards publicitaires, qui l'amplifient encore, la répercutent, la multiplient, la parent de tout un cortège d'échos plus ou moins décalés et de résonances, où le message primitif se perd — transformé en un gigantesque oracle, magnifique, indéchiffrable et terrifiant (p. 208).

Les phrases enfin, les mots eux-mêmes arrivent, dans le paroxysme de l'anxiété, à ne désagréger, à se recombiner. La conversation téléphonique entre Laurent et le patron du café, relatée de façon normale à la page 245, ressurgit à l'état de souvenir déformé chez ce dernier, qui y voit une menace de persécution. La désintégration et la recombinaison des phrases trahissent une sorte d'attaque de paranoïa :

> ... Et pourquoi ce type du commissariat voulait-il lui parler, hier soir ?
>
> — Le patron, c'est moi.
>
> — Ah c'est vous ! C'est vous qui avez raconté à un inspecteur cette stupidité au sujet d'un prétendu fils du professeur Dupont ?
>
> — J'ai rien raconté du tout...
>
> . . . .
>
> — C'est vous qui avez raconté cette stupidité, ou bien c'est le patron ?
>
> — Le patron, c'est moi.
>
> — C'est vous, jeunes gens stupidité, professeur au comptoir ?
>
> — Le patron, c'est moi.
>
> — C'est bien. Je voudrais largement fils, il y a bien longtemps, prétendu jeune morte d'étrange façon...
>
> — Le patron, c'est moi. Le patron, c'est moi. Le patron, c'est moi le patron... le patron... le patron... (p. 263-264).

Ainsi, les schémas « écrits » se transmuent en échos sonores qui se réfléchissent, se recombinent, renvoyés d'un domaine à l'autre, à tel point qu'un membre de phrase vient refléter une image de miroir déjà décrite dans les mêmes termes au tout début de l'œuvre (p. 12).

C'est surtout par cet univers d'objets liés entre eux selon des rapports « sériels » précis et fonctionnant comme des supports à l'affectivité des personnages, que *les Gommes* se différencie d'une parodie de roman policier à la manière de Simenon ou de Graham Greene. L'atmosphère apparaît souvent, en effet, très simenonienne : l'aquarium, par exemple, comme les habitués du bar, rappellent un passage typique de Simenon : « Dans les bars, un éclairage glauque les faisait ressembler à des aquariums » (*Maigret et le corps sans tête*). Le même genre de bar un peu louche, avec ses clients bizarres, se retrouve dans le roman de Greene, *le Rocher de Brighton,* qui présente plusieurs autres points communs avec *les Gommes.* On trouve en effet dans les deux romans : un personnage faible et traqué arrivant dans une ville et entreprenant une série de démarches plus ou moins prédéterminées ; une ambiguïté portant sur un nom ou un personnage ; une formule à caractère énigmatique ou prophétique, répétée à diverses reprises ; un chef de bande au nom italien ; un homme de profession libérale (avocat chez Greene, docteur chez Robbe-Grillet) dans un rôle de faux témoin terrorisé ; des allusions inexpliquées à la mort d'une femme (Molly, la douce Pauline) ; des affiches et des enseignes commerciales (absurdes chez Greene, formellement intéressantes chez Robbe-Grillet) ; et même, chez Greene, un « objet » qui constitue non seulement un corrélatif tacite (comme la gomme ou le presse-papier), mais aussi peut-être un instrument de meurtre — ce sucre d'orge appelé « Brighton Rock », dont la cassure fait toujours apparaître les mêmes lettres, et qui est explicitement identifié par un des personnages de Greene comme un symbole de la nature humaine (idée étrangère à Robbe-Grillet).

Qu'a pu apprendre l'auteur en écrivant *les Gommes ?* En premier lieu, il semble avoir découvert les inconvénients du mode de narration multiple. Cette technique, quoiqu'elle corresponde bien, par l'emploi qu'elle fait de divers points de vue, à ses idées théoriques sur la représentation, particulière à chaque individu, du temps et de l'espace, aboutit, dans *les Gommes,* à une structure trop diversifiée, où l'unité de conception semble parfois sur le point de se perdre tout à fait. Par ailleurs, les passages apparemment « omniscients » paraissent violer le principe même de la relativité des perspectives que Robbe-Grillet a hérité de Sartre ; l'idée que ces passages fonctionneraient, selon l'auteur, comme l'équivalent des récits du chœur dans la tragédie grecque, ne réussit pas à les justifier entièrement. Dès *le Voyeur,* donc, Robbe-Grillet va ramener le récit au point de vue d'un seul personnage, procédé qui atteindra son utilisation extrême dans *la Jalousie,* pour se relâcher peut-être ensuite, comme on le verra plus loin. Après *les Gommes,* il aura tendance à objectiver de plus en plus le contenu mental des personnages, souvent rendu dans *les Gommes* par des techniques assez conventionnelles (commentaires, monologues intérieurs, etc.). Les objets-supports des romans ultérieurs seront de plus en plus étroitement liés entre eux, organisés en un véritable « style sériel » robbegrilletien. Quant à l'intrigue, elle se fera beaucoup moins complexe, moins baroque, et ne sera plus entièrement basée sur un mythe (12).

Cela posé, Robbe-Grillet gardera et développera à peu près toutes les techniques de construction et d'écriture qu'on a eu l'occasion de signaler à propos des *Gommes.* Il restera fidèle à la conception d'une intrigue circulaire où l'idée d'un retour au point de départ (vrai ou faux) jouera un rôle essentiel. Il développera, en les affirmant, les techniques utilisées dans *les Gommes,* pour faire correspondre le temps du roman au temps psychologique, au « temps humain », libéré du temps des horloges et fonctionnant selon tous les modes caractéristiques — répétitions, scènes imaginaires, surimpositions, fondus, interférences, décalages, faux souvenirs, émotions objectivées, retours en arrière, et aussi, comme le dit très bien Bernard Pingaud à propos de *l'Année dernière à Marienbad,* « retours en avant » — qu'on associe d'ordinaire au style de Robbe-Grillet. Il n'oubliera pas non plus que les thèmes les plus riches ne sont pas les thèmes d'engagement politique ou social, mais ceux qui sont profondément enracinés dans l'inconscient de l'individu, dans ses complexes les plus intimes : crime, passion, érotisme, sadisme,

---

(12) Loin de disparaître, pourtant, le mythe rejoindra le jeu des duplications intérieures, ainsi qu'on l'examinera plus loin. A noter que *le Voyeur* contient une « légende de l'île » à allure de mythe sacrificatoire qui fait écho à l'aventure de Mathias (p. 221).

jalousie, désorientation, suggestibilité morbide, angoisse... Des motifs comme celui d'Œdipe dans *les Gommes* trouveront leur expression dans le monde extérieur des objets neutres, car de tels objets sont le seul moyen, pour l'homme, d'accéder à la pensée, à la vie affective, à l'action même, dans un univers de phénoménologie existentielle.

CHAPITRE III

MATHIAS OU L'ŒIL DÉDOUBLÉ : *LE VOYEUR* (1955)

> Les plans authentiques de la réalité « réelle » sont les plus subjectifs de tous. Tout ce que voit le héros par son « ciné-œil » exprime sa propre personnalité.
>
> Bela Balazs. *Theory of the Film.*

Si la critique avancée n'avait pas manqué de discerner dans *les Gommes* une tentative vers une nouvelle « littérature objective », il fallut cependant attendre deux ans plus tard la publication du *Voyeur* pour qu'un flot de spéculations théoriques s'abatte sur l'histoire du roman contemporain, paré pour l'occasion des vocables les plus divers : roman de la présence, roman du refus, anti-roman, roman objectif, roman phénoménologique, roman de l'*être-là,* roman du réalisme nouveau, enfin *Nouveau Roman.*

Ce goût des critiques pour le groupement en écoles, au nom d'un système esthétique (*le* symbolisme, *le* nouveau roman, etc.) aboutit, en fondant de toutes pièces une école qui n'existe pas, à créer une inextricable confusion ; en nous détournant de la lecture analytique des œuvres, cette manie de l'abstraction nous convie à la recherche d'une doctrine générale, là où il n'y a en réalité que des œuvres disparates et des conceptions individuelles. On en vient à oublier la règle d'or de la critique littéraire, qui est de bien lire l'œuvre, et l'on s'égare dans le divertissement des mots et des confrontations factices.

Il s'agit donc ici de réexaminer d'abord le texte du *Voyeur* (car l'importance de l'œuvre de Robbe-Grillet est maintenant reconnue telle qu'il faut la *relire*), puis d'en prendre une vue d'ensemble qui, s'efforçant d'éviter dans la mesure du possible les erreurs jusqu'ici commises, tendra à une clarification des intentions avouées ou inavouées de l'auteur.

Chaque artiste, chaque écrivain — si l'on en croit Malraux — commence par imiter l'œuvre d'autrui, puis *arrache* à ce style préliminaire et emprunté ce qui correspond à son génie, pour en faire son style à lui. Sans remonter aux origines possibles du tout premier style de Robbe-Grillet (chez Kafka, Roussel, Greene, Simenon même), on peut reconnaître dans la plupart des techniques du *Voyeur* une extension des procédés déjà employés ou esquissés dans *les Gommes*. Si le ton et l'atmosphère du *Voyeur* semblent neufs, c'est surtout à cause de l'ambiance particulière — celle d'une île baignée de lumière —, du point de vue qui, au lieu d'être multiple, s'attache ici à un personnage central, et du principe unificateur implicite que l'on va étudier.

L'ordre de nos recherches appelle un résumé du roman. Malgré les difficultés soulevées par un mode de narration ambigu, par des retours en arrière, des anticipations et des scènes fausses (pour ne rien dire encore des corrélations objectives ni de la structure en *huit* du roman), on peut arriver à reconstituer, à quelques détails près, les événements qui composent l'intrigue. Voici donc, schématiquement, comment cette histoire se présente.

Mathias, voyageur de commerce qui, après plusieurs essais infructueux, s'est mis à vendre des bracelets-montres, arrive par bateau sur une petite île située à trois heures du continent. D'après certains indices, c'est son île natale, et pourtant il n'y est pas revenu depuis l'enfance (cf. le cas de Wallas dans *les Gommes*).

Pendant le débarquement, décrit sous un angle impersonnel et qui néanmoins se confond parfois avec celui de Mathias lui-même, plusieurs éléments sont successivement introduits : une cordelette roulée en huit, une fillette appuyée à une colonne comme si elle y était attachée, un paquet de cigarettes flottant à la surface de l'eau, la marque en forme de huit laissée par un anneau sur la paroi du quai, des mouettes à l'œil inexpressif, les ongles trop longs de Mathias... Cependant, ce dernier se livre à des calculs : comme il dispose de six heures, s'il veut repartir par le bateau du soir, pour vendre quatre-vingt-dix bracelets-montres, il s'efforce de déterminer la durée moyenne de chaque vente et le moyen le plus rapide d'approcher le client. Des scènes hypothétiques de ventes ratées — qu'on retrouvera plus tard avec des variantes sous forme de scènes réelles —, incorporées sans transition dans un texte qui reste imperturbablement à la troisième personne, ouvrent à l'intérieur même de la situation de Mathias les premières perspectives hallucinatoires, au centre desquelles le lecteur s'installe, d'abord comme *observateur* désorienté ; ensuite, en dépit de la « distance esthétique », comme *participant*.

Arrivé sur la place au centre du bourg — dont les façades et la statue de pierre évoquent l'atmosphère obsessionnelle d'un tableau de Chirico —, Mathias passe devant une affiche de cinéma représentant une scène de violence : un homme étrangle une jeune fille agenouillée près d'une poupée désarticulée. Déjà, sur le bateau, Mathias s'était remémoré une scène semblable dont il avait été le témoin à l'aube, dans une rue déserte, juste avant le départ du bateau.

Mathias loue une bicyclette à un buraliste évasif. Avant de se mettre en route pour accomplir le tour de l'île, il essaie en vain de placer sa marchandise auprès des clients du café du port et dans quelques demeures avoisinantes. Se perdant dans un corridor obscur, il trouve une chambre inoccupée, mais remplie d'objets inquiétants : un lit en désordre, un tableau représentant une fillette agenouillée, un carrelage noir et blanc.

Regagnant la boutique où l'attend la bicyclette, il s'attarde à contempler la mer. Une vague au bruit de gifle déclenche une suite d'images violentes : une fillette étendue sur un lit défait, les détails d'un crime racontés par une coupure de presse qu'il conserve dans son portefeuille. De la reconstruction de ce crime, Mathias passe à la réinvention de la scène de la chambre aperçue le matin : l'ébauche du viol d'une petite fille par un homme de forte corpulence.

Revenu de sa rêverie, Mathias se hâte de prendre la route. Sa première visite est pour une maison isolée située hors du bourg, au bord de la route qui mène au grand phare, à l'autre bout de l'île. Là, se répète la scène de vente qu'il avait imaginée au moment du débarquement ; mais il n'avait pas prévu l'essentiel : une photographie, sur la cheminée, d'une petite fille adossée à un arbre. Le sadisme latent de Mathias commence à se manifester : conversant avec la mère, Mathias transforme le nom de la fille — Jacqueline — en celui de Violette (est-ce la jeune victime mentionnée sur la coupure de presse ?) ; il la voit attachée à l'arbre, au milieu des herbes qui flambent. Mais la femme dit que sa fille est en train de garder les moutons sur la falaise, dans un endroit écarté. Mathias dit qu'il ne la rencontrera pas, car il doit continuer tout droit vers le phare, à moins qu'il ne quitte la route au prochain croisement, dans la direction opposée, pour visiter la ferme des Marek, qu'il connaît depuis l'enfance. Mais arrivé au croisement, Mathias prend le sentier de la falaise et se laisse descendre vers la mer.

Lorsque le récit reprend son cours, au début de la seconde partie, Mathias, arrêté au croisement, se penche sur le cadavre d'une grenouille écrasée. Voici que Mme Marek s'approche, venant du hameau du grand phare ; alors commencent les efforts de Mathias, déconcertants pour le lecteur, pour combler l'heure « vide » qui s'est écoulée entre son passage au croisement et son

« retour » au même endroit. Comme il avait fait pour essayer d'« anticiper » ses ventes, le voyageur imagine, en une espèce de discours indirect libre que le texte met au niveau de la « réalité » elle-même, un horaire continu et plausible. C'est ainsi que, guidé par les remarques de Mme Marek, il raconte dans le détail une visite à la ferme, où, dit-il, il n'a trouvé personne. Cet épisode devient de plus en plus embrouillé au fur et à mesure que Mathias le développe, et le lecteur, saisi d'inquiétude, commence à pressentir chez le héros un besoin vertigineux de cacher quelque obscure culpabilité. Se dégageant enfin de l'engrenage de ses inventions (que le lecteur, à la première lecture, ne peut encore que soupçonner), Mathias vend une montre à Mme Marek et poursuit son chemin. Il réussit à vendre deux autres montres un peu plus loin, grâce à un boniment bien « rôdé » que sa répétition rend cauchemardesque.

Au bistrot du grand phare, Mathias s'étonne que la patronne connaisse déjà son nom. On lui dit que la sœur de la petite Jacqueline l'a précédé ; comment a-t-il pu la croiser sans la voir ? On s'inquiète de la disparition de Jacqueline. Mathias explique de façon assez incohérente l'itinéraire qu'il a suivi depuis la maison de Jacqueline, et manque souvent de se contredire. L'inquiétude du lecteur se précise : elle tourne bientôt autour de quelque action où figure Jacqueline, et que Mathias refoule désespérément. Mais laquelle ?

Toujours dans le bistrot, un marin inconnu salue en Mathias un vieil ami. Son nom est Pierre, ou Jean Robin. Mais « Jean Robin » est justement le nom que Mathias avait inventé au bourg pour faciliter une vente, et voilà que cet homme qu'il croyait inexistant surgit devant lui, insiste pour l'emmener déjeuner dans sa cabane. La femme qui vit avec lui paraît aussi terrorisée que celle entrevue antérieurement dans la mystérieuse chambre aux rideaux rouges. « Jean Robin » commence à parler longuement de Jacqueline. Le texte devient ici très complexe — mélange de souvenirs transposés, de mensonges objectivés, d'évasions, d'anticipations — dans une atmosphère de panique qui gagne Mathias, et avec lui le lecteur.

Se séparant enfin de « Jean Robin », Mathias regagne le port, mais non sans difficultés : la chaîne de sa bicyclette saute ; le temps presse, la sirène du bateau siffle. Le buraliste est absent. Au moment où le voyageur arrive enfin sur le quai, le bateau vient de larguer ses amarres. Mathias ne peut donc plus quitter l'île. Il cherche la cordelette dans sa poche : elle n'y est plus. Y a-t-il, se demande-t-il, des gendarmes sur l'île ?

L'affiche du garage a changé ; c'est un autre film qui y est annoncé maintenant : « Monsieur X sur le double circuit ». Le voyageur loue une chambre pour les trois jours qu'il doit attendre, jusqu'au prochain bateau. Cette chambre se confond avec celle de son enfance, et Mathias cherche dans un tiroir de commode la boîte où il rangeait alors sa collection de ficelles.

Le lendemain matin, la nouvelle de la mort de Jacqueline se répand ; on a retrouvé son corps au pied de la falaise : est-elle tombée, l'a-t-on poussée ? Des bribes de conversation entre marins laissent entendre qu'on soupçonne un meurtre. La fumée de la cigarette de Mathias s'enroule en huit ; il se rappelle trois mégots jetés sur la falaise. Il part les récupérer. Comme il est en train de fouiller dans l'herbe, paraît la jeune femme de chez Pierre (« Jean Robin »). Elle annonce que c'est Pierre l'assassin ; la preuve : ce bout de cigarette qu'elle a en mains, de même marque que celles que Pierre fume. Mais Mathias lui arrache sa « preuve ». La jeune femme s'enfuit affolée. Le deuxième mégot est retrouvé, mais non le troisième. De retour au café, Mathias raconte une nouvelle fois, pour justifier son emploi du temps, une prétendue visite aux Marek.

C'est pour transformer cette « contre-vérité » en simple anticipation que Mathias se rend enfin chez les Marek. Il y entre sans bruit ; dans le couloir, il surprend une discussion de famille : les Marek accusent leur petit-fils Julien d'avoir tué Jacqueline. Lorsque Mathias pénètre dans la pièce, la conversation s'interrompt. De nouveau, le voyageur répète son histoire : il s'est rendu à la ferme la veille avant de rencontrer Mme Marek près du tournant. Julien, qui le regarde fixement, confirme cette visite imaginaire, ajoutant toutes sortes de détails accessoires notés, dit-il, par une fenêtre lorsque Mathias « était » dans la cour de la maison. Devant cette corroboration hardie et inattendue, Mathias ressent soudain une violente migraine ; il s'excuse et s'en va, s'efforçant en chemin d'arranger les événements de la veille de façon à combler le « trou » dans le temps à l'heure de la disparition de Jacqueline.

De nouvelles recherches sur la falaise n'apportent rien de nouveau : mégot et papiers de bonbons restent introuvables. Mais il aperçoit en contrebas le tricot de Jacqueline accroché à une saillie de la paroi : il descend en s'agrippant au rocher, s'empare du tricot et le jette à la mer. En haut, se trouve soudain Julien, qui le suit du regard avec curiosité. Une conversation s'engage, où il devient de plus en plus clair que Julien « a tout vu ». Le garçon exhibe une cordelette identique à celle que Mathias a perdue. Au paroxysme de la peur et de l'angoisse, Mathias balbutie des phrases incohérentes.

Comme plongé dans un cauchemar, il retourne au café du phare. Un paysan raconte une légende de l'île : chaque année, autrefois, une jeune fille était sacrifiée pour rendre la mer clémente aux voyageurs. Mathias, accoudé au comptoir, est victime d'un étourdissement : il se voit dédoublé ; deux hommes passent même entre « Mathias et le voyageur ». Il s'évanouit. Lorsqu'il revient à lui, il est assis sur la route, devant le bistrot. Il se remet en marche.

Retrouvant dans l'obscurité la maison de Jean Robin, il observe du dehors une scène muette au cours de laquelle son « ami » menace la jeune femme. Est-ce un effet de son imagination ? La lampe en tout cas devient celle de sa propre chambre, où maintenant il s'emploie à noter sur son agenda un emploi du temps falsifié. Puis il s'endort, et rêve à cette scène qu'on lui a si souvent racontée d'une mouette qu'il aurait dessinée un jour de pluie lorsqu'il était enfant sur l'île. Le matin, il sort de son portefeuille la coupure de presse qu'il avait conservée et la détruit en la brûlant lentement avec sa cigarette.

L'heure du départ approche. Mathias s'efforce de réprimer son trouble. Une scène d'actes figés ou décalés exprime son impatience. La vue de la serveuse (fille craintive et peureuse, comme toutes celles auxquelles pense Mathias) provoque une « récapitulation » de ce qui a dû se passer sur la falaise : torture, viol peut-être, meurtre de Jacqueline jetée par Mathias à la mer. La cordelette peut avoir servi à la lier aux piquets...

Enfin, dans une dernière séance de vente qui reprend quasi mécaniquement les éléments visuels de plusieurs scènes précédentes, Mathias s'affaire avec sa valise, ses bracelets-montres, son agenda. De son ongle long et pointu (tout le long du récit, Mathias s'inquiète de ses ongles, qu'il se promet toujours de tailler), il indique l'heure marquée sur le cadran, et aussitôt on passe à la dernière scène, sur le quai, devant le bateau qui s'apprête à partir, Dans l'attente du départ, Mathias se remémore les détails d'une bouée de forme géométrique complexe flottant au large de l'île : sur ses parois, de longues algues composent des images vagues et changeantes. Mathias pense que dans trois heures il sera à terre.

On peut s'étonner de trouver dans une étude sur un roman une analyse aussi détaillée de l'intrigue, mais pour le *Voyeur,* comme pour tous les récits de Robbe-Grillet, il nous a semblé indispensable de procéder ainsi. Comme pour un poème hermétique (tel sonnet de Mallarmé, par exemple), le premier effort du critique doit être, avant d'aborder les problèmes de structure, de dégager la ligne rationnelle qui relie les éléments de l'action. Si on accuse souvent Robbe-Grillet de formalisme excessif, voire de formalisme « baroque », c'est que, sans l'espèce de guide que fournit un tel schéma (ou bien sans la profonde connaissance de l'œuvre qui résulterait de plusieurs lectures attentives), beaucoup de lecteurs sont déroutés par les difficultés techniques. De toute façon, une étude approfondie de l'intrigue s'impose toujours dans le cas de Robbe-Grillet, car c'est justement dans ce domaine (lié à la structure formelle du récit) que les critiques se révèlent peu perspicaces et souvent contradictoires.

Quel est donc, pour aborder les problèmes de structure, le mode narratif du *Voyeur* ? Tout naturellement, l'absence du pronom « je », comme de toute auto-allusion à la première personne, laisse présumer qu'il s'agit du mode traditionnel de l'auteur « omniscient ». Seulement, il devient évident, à la lecture de bien des scènes, que le « point de vue » — la perspective visuelle aussi bien que psychologique — se rattache directement à Mathias, et que la troisième personne narrative n'est en l'occurrence qu'une façon plus « objective » de peindre ses sensations et son univers intérieur. Faut-il en conclure que les passages apparemment plus « réels », ceux où l'on ne trouve ni visions ni émotions déformées, sont également écrits du point de vue de Mathias ? Il serait tentant de croire en effet que le texte représente, par ses alternances entre réel et imaginaire, entre « vrai » et « faux », la double personnalité d'un protagoniste oscillant entre le normal et l'anormal, et il y a des raisons de penser que cette idée est en partie conforme aux intentions de l'auteur. Pourtant, deux objections d'ordre technique s'imposent. D'abord, l'optique des scènes n'est pas toujours celle de Mathias ; ensuite, l'univers décrit se présente sous des formes stylisées qui émanent moins d'une « personnalité » présumée de Mathias que d'une vision cohérente et systématique de l'auteur, créateur d'un monde imaginaire. Que les déformations qui affectent cet univers se produisent en fonction de l'optique du protagoniste, on peut l'admettre ; mais le décor « extérieur » reste celui de Robbe-Grillet, et non celui de Mathias.

Ce problème du point de vue dans *le Voyeur* a beaucoup troublé certains critiques, qui, avides de trouver une interprétation satisfaisante du mot *voyeur* (nous aurons à revenir sur ce point), ont rattaché les perspectives visuelles du roman à un *protagoniste voyeur* doué d'une acuité de regard exceptionnelle, ou bien une rétine sur laquelle « les choses prennent un relief et une intensité peu ordinaires » (Emile Henriot). Pour eux, Mathias devient non seulement *le voyeur*, mais encore un « voyant » (Pierre Gascar). Un autre n'hésite pas à affirmer que cet univers attribué à Mathias « voyeur » ne constitue pas un ensemble, mais un chaos d'objets : « loquet qui tombe, strie sur un carreau de faïence, caillou gris, œil d'oiseau » (André Dalmas). Il n'y aurait donc pas, dans *le Voyeur*, de monde « objectif » au centre duquel on pourrait placer Mathias ; au contraire, tout pourrait se réduire rigoureusement à l'expression de son contenu mental.

Procédons, à ce propos, à un bref sondage du texte. L'action débute entre deux coups de sifflet donnés par la sirène du bateau : « C'était comme si personne n'avait entendu » le premier sifflement, bruit absent qui préfigure imperceptiblement le thème du « trou » dans le temps, ou du temps « mort ». Suit une description des passagers figés dans l'attente, l'œil fixe, la tête dressée dans une attitude identique. Cette description est-elle organisée du point de vue de Mathias ? On peut en douter, car le lecteur a vraiment l'impression de l'approcher d'une façon indirecte ou oblique, comme le surprenant immobile à ne rien faire d'autre que regarder à ses pieds le pont du bateau :

> Légèrement à l'écart [...], un voyageur restait *étranger* à cette scène. La sirène ne l'avait pas plus arraché à son *absence* que ses voisins à leur passion. Debout comme eux, corps et membres rigides, il *gardait les yeux au sol* (p. 9 ; c'est moi qui souligne).

L'optique ne saurait donc être ici celle de Mathias. De même, partout dans le récit, le style de présentation du monde extérieur, lorsque ce monde n'est pas troublé par la vision distordante du protagoniste, correspond assez peu à ce qu'on pourrait attendre de ce

Mathias, tel qu'il nous est décrit. C'est plutôt le monde de l'auteur qui sert au protagoniste de point de départ, et il n'est en aucune façon la création de ce dernier. Considérons par exemple ce passage :

> Egale et cadencée en dépit de légères variations d'amplitude et de rythme — perceptibles à l'œil, mais n'excédant guère dix centimètres et deux ou trois secondes — la mer s'élevait et s'abaissait, dans l'angle rentrant de la cale... De temps en temps, à intervalles sans doute réguliers quoique de période complexe, un remous plus fort venait rompre le bercement : deux masses liquides, arrivant à la rencontre l'une de l'autre, se heurtaient avec un bruit de gifle et quelques gouttes d'écume giclaient un peu plus haut contre la paroi (p. 15).

Le mot « gifle » mis à part (ce mot doit jouer un rôle dans certains passages postérieurs), toute cette scène est là pour matérialiser, en dehors de lui, l'univers où Mathias est situé ; elle ne doit donc pas s'interpréter, ainsi que le voudrait Bernard Dort pour le roman entier, en fonction d'une « véritable *passion du* regard » dont le personnage principal serait le jouet. Des passages de ce genre créent le monde où Mathias doit s'orienter, et les objets, créations de l'auteur, surgissent autour de lui :

> Mathias essaya de prendre un repère. Dans l'angle de la cale, l'eau montait et descendait. [...] Contre la paroi verticale en retrait, Mathias finit par arrêter son choix sur un signe en forme de huit, gravé avec assez de précision pour qu'il pût servir de repère. (p. 15-16).

C'est Mathias qui choisit les cercles tangents en forme de huit que Robbe-Grillet, à un tout autre niveau bien entendu, a conçus et inventés. Telle est, à notre avis, la seule explication à la fois logique et conforme aux détails du texte. Ailleurs, dans *la Jalousie* par exemple, Robbe-Grillet fera de son protagoniste le créateur, ou pour mieux dire, le *seul témoin* de son univers particulier ; mais dans *le Voyeur,* c'est l'auteur lui-même, absent, impersonnel (mais doué d'une « vision » spéciale de l'univers qu'il crée), qui ordonne le monde et les choses, les livrant ensuite à son personnage central. Ce dernier, à son tour, se trouve aux prises avec cette « réalité » et s'acharne à l'altérer ou à la détruire (1).

L'étude des transitions ménagées par le texte entre le monde extérieur et celui de Mathias révèle une grande variété de procédés. Dans certains cas, c'est un discours indirect libre, d'allure parfaitement conventionnelle, qui nous plonge momentanément, mais superficiellement, dans l'esprit du personnage : « Mathias regarda sa montre. La traversée avait duré juste trois heures ». Le discours indirect libre peut prendre des proportions plus amples :

> Une inquiétude lui traversa l'esprit : la plupart des fragments conservés dans la boîte y avaient été placés sans passer par la poche, ou après quelques heures à

---

(1) La question du mode narratif du *Voyeur* est un exemple typique des difficultés soulevées dans le roman moderne par l'existence d'une divergence plus ou moins nette entre l'univers préconçu où se meut le héros, et la vision que ce dernier en a en tant que narrateur indirect, ou même direct. Un film comme *Le Cabinet du docteur Caligari* est très instructif à cet égard. On sait que les intentions premières des scénaristes Janowitz et Mayer ont été profondément modifiées par le réalisateur Robert Wiene, et qu'en définitive le film a donné du monde extérieur une représentation telle — toute en décors expressionnistes aux perspectives déformées — qu'une seule et unique interprétation s'est trouvée avoir cours, à savoir que c'était le monde vu par un fou. Or, dans les scènes imaginées par Wiene pour « encadrer » l'action et la situer dans l'esprit de Francis (le jeune héros « normal » du scénario original), ce dernier, avant et après le *flashback* qui constitue sa propre narration de l'action du film, est objectivement placé dans un asile de fou, et les décors de cet asile, comme ceux du *flashback*, sont affectés des mêmes « déformations » expressionnistes (cheminées de travers, façades déboîtées, etc.). On peut donc dire que si l'on enlevait le « cadre » imposé par le metteur en scène, le film serait structuré sensiblement comme *le Voyeur*. Ainsi, dans les deux cas, le protagoniste se meut dans un monde qui est déjà expressionniste (pour le film) ou robbegrilletien (pour le roman), et que de temps en temps il modifie en y projetant ses craintes et ses passions. En cherchant à rendre plus « rationnel », plus uniforme, l'univers visuel très spécial du film ou du roman, en arguant que tout est vu uniquement par le protagoniste, on risque de laisser sans explication un certain nombre de données. Il est probable aussi que Robert Wiene nourrissait des intentions d'ordre social et politique en modifiant le scénario anti-totalitaire de Janowitz et Mayer (voir à ce sujet : Siegfried Kracauer : *From Caligari to Hitler*, London, 1947).

> peine de cette épreuve. Quelle confiance, alors, leur accorder ? Evidemment moindre qu'aux autres. Il aurait fallu, pour compenser, leur faire subir un examen plus rigoureux. Mathias eut envie de reprendre dans sa canadienne le morceau de ficelle roulé en forme de huit, afin d'en étudier à nouveau la valeur (p. 30).

D'abord, le style de l'auteur : « Une inquiétude lui traversa l'esprit ». Puis, à la suite d'une phrase au discours indirect, des « pensées » exprimées directement : « Quelle confiance, alors, leur accorder ? » Enfin, la retraite hors du personnage : « Mathias eut envie... » Il en est de même dans la première variante d'une scène tirée de la mémoire de Mathias — celle de la mouette qu'il dessinait étant enfant — ; cette variante est exposée par une phrase à allure de refrain :

> On lui avait souvent raconté cette histoire. C'était par un jour de pluie ; on l'avait laissé seul à la maison (p. 16).

Mais c'est un peu plus loin que le lecteur reçoit le premier choc violent : le point de vue, d'abord placé *à côté* de Mathias, pénètre dans son esprit au moyen d'une phrase indirecte ; puis la perspective de la troisième personne se rétablit, mais il est clair que la scène ne peut être qu'un souvenir de Mathias, pour lequel le passage préparatoire cité plus haut nous a fourni l'indice nécessaire :

> Mathias chercha des yeux l'épave du paquet de cigarettes — incapable de dire à quelle place exacte celui-ci aurait dû surnager. Il est assis, face à la fenêtre, contre la lourde table encastrée dans l'embrasure... Il dessine une grosse mouette, blanche et grise... (p. 21-22).

Une fois introduit, cet emploi de transitions libres entre l'action présente et la mémoire (ou l'imagination) se développe rapidement. Le lecteur, par étapes de difficulté croissante, apprend à « suivre » le système, à distinguer sans intervention de l'auteur entre la réalité, le rêve, le souvenir, et finalement la vision paroxystique. Sans cet apprentissage, instauré avec une grande subtilité, qui pourrait à la première lecture « subir » d'une façon conforme aux intentions de l'auteur l'expérience objectivée de Mathias ?

Le choc produit par la confrontation de deux temps ou de deux niveaux d'action peut se produire aussi bien lorsque le protagoniste « émerge » d'une vision, que lorsqu'un événement présent ou réel le plonge (comme la vue du vol d'une mouette dans la scène précitée) dans le domaine du souvenir. Renvoyé à son passé par la vue de la fillette sur le pont du bateau, il se rappelle la petite rue du port où par une fenêtre ouverte il a été témoin le matin même d'une scène brève, mais extrêmement violente : « En passant dans une petite rue [...], Mathias crut entendre une plainte. » Mais tout à coup, sans la moindre transition, cette vision rétrospective est ramenée « de force » au présent, à cette fillette qui en ce moment même se tient devant Mathias contre un pilier du bateau :

> D'après le timbre de sa voix — agréable, du reste, et sans aucune tristesse — la victime devait être une très jeune femme, ou une enfant. Elle était debout contre un des piliers de fer qui soutenaient l'angle du pont supérieur ; elle avait les deux mains ramenées derrière le dos, au creux de la taille, les jambes raides et un peu écartées, la tête appuyée à la colonne (p. 29).

La première phrase se rapporte à une victime-enfant tirée de sa mémoire, et la deuxième à une victime possible qui se trouve là devant lui. L'auteur nous communique ainsi son désarroi et sa tension psychique, sans rien abandonner apparemment du mode narratif à la troisième personne. Par l'emploi qu'il fait de tout un vocabulaire de précision spatiale (angles, surfaces, plans...), ce procédé d'interpénétration du présent et du passé — frontière ouverte entre intérieur et extérieur — joue un rôle essentiel dans la tentative que poursuit Robbe-Grillet de trouver une écriture objective.

Au fur et à mesure que le récit du *Voyeur* progresse vers le « trou » dans le temps où se situe le « crime » de Mathias (2), les alternances entre réalité et phan-

---

(2) Les critiques ont souvent parlé d'une « page blanche » dans *le Voyeur,* à l'endroit du crime supposé de Mathias. Ce serait la page (non numérotée) 88, précédant celle qui porte le grand II indiquant la deuxième partie du roman. Mais cette page vide ne marque de blanc le récit que par coïncidence :

tasmes se multiplient ; ces derniers, au lieu de régresser, anticipent sur le futur. Le principe déterminant de ces anticipations se trouve, comme pour le souvenir, dans une psychologie implicite dont l'auteur esquisse les contours sans toutefois la préciser. Le lecteur apprend que Mathias, après une série d'échecs, « avait fort besoin » de l'argent qu'il pensait gagner par la vente des bracelets-montres, et que si « les choses ne s'arrangeaient pas, [...] il lui faudrait [...] chercher une fois de plus un nouveau métier ». Evidemment, la peur de l'insuccès le hante. Il essaie mentalement de calculer le temps disponible pour chaque vente, et le chiffre qu'il trouve (quatre minutes par montre) l'amène à imaginer une scène de « vente idéale ». Malgré les

---

si la partie I avait été un peu plus longue, une partie de cette page 88 aurait été imprimée. En tout cas, le « hasard objectif » fait que le format du livre correspond à la structure de l'intrigue. On peut rapprocher cette action « escamotée » du *Voyeur* d'une série d'événements semblables figurant dans plusieurs romans modernes. Dans *Crime et Châtiment,* par exemple, Svidrigailov a commis un crime obscur qu'il tait, tout comme, dans *les Possédés,* le coupable Stavroguine, dont l'aveu (d'un crime semblable à celui de Mathias) ne fut publié que longtemps après la mort de Dostoïevsky. Dans *Sanctuaire* de Faulkner, la scène de viol de Temple par Popeye n'est pas décrite ; cet acte central pèse lourdement, pourtant, sur tous les événements à venir. Souvent chez Dos Passos la conduite de personnages reparaissant dans l'intrigue après un certain laps de temps ne s'explique que par les incidents (non rapportés) qui leur sont arrivés dans l'intervalle, et que le texte ne laisse qu'entrevoir. Dans *la Clef de verre* de Dashiel Hammett, les actions du protagoniste ont une signification ambiguë ou contradictoire, dont l'explication ne transparaît qu'une fois révélée la décision qu'il avait prise, mais gardée secrète. Alors qu'il semblait se confier à nous, dès le début, sans retenue, il avait en fait gardé le silence sur l'essentiel. Dans *le Voyeur,* la logique psychologique vient renforcer l'ellipse littéraire, car Mathias a vraisemblablement le plus grand intérêt à refouler inconsciemment toutes les images d'un « crime » dont le surgissement à son insu dans sa conscience (cette conscience re-faisante) constitue le problème fondamental du héros et la trame même du livre. Robbe-Grillet a lui-même déclaré, à propos du « trou » dans le temps : « L'acte principal, le meurtre, est en creux dans *le Voyeur.* Tout est raconté avant le trou, puis de nouveau après le trou, et on essaie de rapprocher les deux bords pour faire disparaître ce vide gênant. Mais [...] c'est le vide qui envahit, qui remplit tout » (*Cahiers du Cinéma,* septembre 1961, p. 18).

indices fournis par le texte, le lecteur peut facilement faire erreur, à la première lecture, sur le degré de réalité de cette première anticipation de Mathias. Petit à petit, pourtant, on reconnaît la part de l'imagination, et lorsque la vision s'interrompt pendant quelques paragraphes (quand Mathias quitte le bateau) pour reprendre ensuite sur plusieurs pages, on anticipe aisément aux constructions mentales de cet homme aux prises avec l'angoisse de l'échec : étant donné que Mathias a passé son enfance sur cette île, il a pu garder un souvenir assez précis des maisons et des coutumes des habitants ; il peut même compter sur des souvenirs réels ou fabriqués pour éveiller la sympathie de ses clients, et on admet facilement qu'il puisse inventer des scènes où le décor et l'atmosphère reproduisent d'assez près ceux des scènes « véritables » à venir. Voici les principales de ces transitions :

> Mathias tenta d'imaginer cette vente idéale qui ne durait que quatre minutes : arrivée, boniment, étalage de la marchandise, choix de l'article, paiement de la valeur inscrite sur l'étiquette, sortie. Même en supprimant toute hésitation de la part du client, toute explication complémentaire, toute discussion quant au prix, comment espérer venir à bout d'un déroulement complet et si peu de temps ?
>
> La dernière maison à la sortie du bourg, sur la route du phare, est une maison ordinaire [... etc.]
>
> A cause des algues vertes [...] Mathias était obligé de choisir avec attention la place où il posait le pied, [... etc.]
>
> Il s'agissait maintenant de mettre sur pied quelque chose d'un peu moins fantomatique. Il était indispensable que les clientes parlent [...]
>
> La porte s'entrebâilla sur la tête méfiante de la mère [... etc.]
>
> Les choses allaient presque trop vite. Il y eut la pression des doigts sur la fermeture de la valise, [...] l'agenda dans le fond du couvercle, sur la pile des cartons le bout de cordelette roulé en forme de huit, le bord vertical de la digue qui fuyait tout droit vers le quai. Mathias s'écarta de l'eau, en direction du parapet.
>
> Parmi la file de voyageurs [... etc.] (p. 35-42).

Ainsi, tout en quittant le navire, Mathias imagine une première scène de vente dans laquelle la cliente n'ouvre même pas la bouche ; il se rend compte que la scène est restée « stupidement muette », et que « tout est encore à faire ». Il « retourne » donc à la porte et y « frappe » de nouveau. Comme s'il craignait de faire progresser trop vite la tentative de vente, il scrute longuement le curieux dessin en forme de huit qui orne le panneau de la porte. Momentanément, la nécessité de faire attention à l'endroit où il pose les pieds (il est en train de gravir le plan incliné qui mène à la digue) le rappelle à la réalité, ce qui permet au lecteur de s'orienter dans le temps et dans l'espace « actuels ». La phrase où Mathias se promet maintenant quelque chose « d'un peu moins fantomatique » dresse le cadre d'un nouveau et plus important développement de cette scène, où enfin, quoique avec difficulté, la cliente arrive à « parler ». Mais on est encore loin de la « réussite » : au moment où Mathias « ouvre » enfin sa valise devant la cliente, la cordelette le préoccupe tellement qu'il s'arrache à sa vision pour revenir, en plein milieu d'une phrase, à la réalité actuelle : il cherche des yeux la petite fille qui se tenait sur le pont du bateau ; mais, tel a été son égarement durant ces quelques minutes, il ne voit plus personne sur la digue, et il est le dernier à accéder au quai.

Parfois, l'oscillation entre vision et réalité se produit d'une phrase à l'autre, par l'intermédiaire d'une troisième phrase applicable aux deux autres. Nous trouvons un bel exemple de ce procédé dans le passage où Mathias, lors du débarquement, émerge momentanément de son rêve muet pour se replonger presque aussitôt dans la scène de vente qu'il continue d'imaginer :

> Bousculer ses voisins n'avançait à rien. [...] Néanmoins, il se sentait gagné par une légère impatience. On tardait trop à lui ouvrir. [...] Il frappa de nouveau. [...] La porte [...] rendit un son mat. [...] Il entendit du bruit dans le vestibule (p. 38).

La phrase « il se sentait gagné par une légère impatience » se rapporte tant à Mathias immobilisé par la lenteur de la foule qu'à Mathias en alerte devant la porte de la maison imaginaire.

Il existe dans *le Voyeur* (à côté des scènes remémorées ou anticipées) un troisième ordre de scènes imaginaires, celui des scènes fausses, ou falsifiées, par lesquelles Mathias cherche à remplir d'une façon plausible le vide créé dans son emploi du temps par cette heure manquante durant laquelle s'est sans doute déroulée (comme on le laisse entendre finalement) la rencontre avec Jacqueline sur la falaise, suivie de son viol et de son meurtre. La confusion du lecteur, au premier contact avec ces scènes fausses, est d'autant plus grande qu'il ne sait pas encore ce qui se cache derrière toutes ces inventions, même s'il est tenté de les prendre pour telles. L'intention de l'auteur est évidemment de reproduire chez le lecteur l'extrême degré de répression et de « censure » qu'exerce le héros sur ses souvenirs tout récents. Mathias, « de retour » au croisement, rencontre Mme Marek : le texte offre alors une suite de scènes hypothétiques ; Mme Marek admet qu'il n'y a personne à la ferme, ce qui déclenche aussitôt dans l'esprit de Mathias le récit d'une « visite » à la ferme — récit qui se répétera plus tard avec des variantes, et finira même par être « confirmé » par le jeune Julien en une contre-version également fausse, lorsque Mathias se rendra à la ferme pour donner enfin quelque consistance à son indispensable alibi.

On voit donc comment Robbe-Grillet, en passant librement d'un texte à la troisième personne à un texte « déplacé » vers une virtuelle première personne, édifie objectivement le monde du protagoniste, tout en faisant participer directement le lecteur à l'édification de son personnage. Cette technique narrative comporte plusieurs procédés accessoires dans l'ordre du dialogue et du discours rapporté. Lorsqu'il s'agit d'une suite de répliques, l'auteur se sert du système traditionnel des guillemets et des tirets ; Mathias ne prononce alors jamais plus d'une ou deux phrases. Lorsqu'il s'agit en revanche d'un discours assez étendu, dont le report amènerait Mathias à des développements oraux fastidieux, semés de redites, l'auteur prend soin de s'en tenir à la relation indirecte :

> Mathias expliqua qu'il n'exerçait plus cette profession d'électricien ambulant. Il vendait maintenant des bracelets-montres. Il était arrivé le matin même par le vapeur. [...] (p. 95).

Il en est de même pour certaines remarques de Mathias particulièrement hachées et irrationnelles. Bien qu'ayant parfois dans *les Gommes* (notamment dans le discours du patron du bistrot, page 257) cité directement un discours chaotique, Robbe-Grillet opte dans *le Voyeur* pour une présentation plus ambiguë, plus floue, qui par son imprécision évoque mieux le désarroi du protagoniste que ne le feraient les paroles brutes (à noter en passant que cette technique s'accorde mal avec la théorie des critiques qui ne décèlent dans *le Voyeur* que le seul point de vue de Mathias). En voici deux exemples :

> Une phrase chaotique sortit de sa bouche — peu claire et d'une excessive longueur, trop brusque pour être tout à fait aimable, grammaticalement incorrecte — où il entendit néanmoins au passage les formules essentielles : « Marek », « bonjour », « pas reconnu » (p. 94-95).
>
> Encore un peu plus vite, le voyageur reprit son monologue. [...] Afin de combler les vides, il répétait souvent plusieurs fois la même phrase. Il se surprit même à réciter la table de multiplication (p. 216).

D'ailleurs, l'unique reproduction directe d'un discours un tant soit peu développé de Mathias rend un son assez faux (la scène où il débite son boniment, pages 251-252). L'étude comparée des techniques d'alternance entre discours direct et discours indirect chez les auteurs modernes reste d'ailleurs à faire. Dans *l'Etranger,* de Camus, par exemple, tous les discours étendus attribués à Meursault sont donnés en paraphrase, procédé qui renforce chez le lecteur l'impression que le protagoniste est *laconique,* alors qu'en « réalité » Meursault s'exprime souvent assez longuement. De même Mathias, dans *le Voyeur,* semble très peu parler, mais en principe, dans maintes scènes, il tient des propos qui ne sont rapportés qu'en résumé. Le mari de *la Jalousie* cite les discours de Franck et de sa femme, mais donne ses propres « remarques » en style indirect.

Une fois posés les éléments du mode narratif et des transitions entre scènes utilisés dans *le Voyeur,* on peut aborder les problèmes d'images, de style et de structures. Plus tard, on recherchera quel principe d'unité relie l'ensemble et lui confère sa signification esthétique.

Les romans de Robbe-Grillet sont, on le sait, très « formels ». Nous avons vu que l'action des *Gommes* prend la forme d'un cercle, que son début et sa fin se situent au même point de la circonférence et que tout au long de l'œuvre une série de dédoublements renforcent cette correspondance. Ce formalisme quasi baroque s'atténue dans *le Voyeur,* sans néanmoins disparaître tout à fait. Le 0 circulaire des *Gommes* devient ici un huit (8 qui, couché, représente ∞, l'infini). Comme dans *les Gommes,* cette forme fondamentale se retrouve dans les nombreuses images-supports qui jalonnent le récit du *Voyeur,* donnant aux contours mêmes de l'île, du roman et de l'action qui s'y déroule, une unité formelle toute géométrique.

Le premier de ces objets en forme de huit est la cordelette que ramasse Mathias sur le pont du bateau ; c'est elle qui, dernier exemplaire d'une série de cordelettes collectionnées dès l'enfance, servira à lier la victime. Vient ensuite la trace laissée par l'anneau sur la muraille du quai et qui sert maintenant de point de repère, après avoir servi à « passer une corde » ; puis le dessin en huit sur les portes des maisons, suggérant « des lunettes, des yeux ». On peut dire que ces deux images sont aux limites extrêmes de la corrélation entre les divers huit et l'ensemble de l'action : d'un côté, un moyen, un renforcement objectif de l'action, du crime (corde, anneaux) ; de l'autre, un support passif du regard voyeur (les yeux). Interviennent ailleurs dans le récit une vingtaine de variantes plus ou moins évidentes : deux couvercles dont les circonférences se touchent, les gestes de Jean Robin lorsqu'il décrit l'évolution des lumières du phare « où abondaient les cercles, les spirales, les boucles, les huit », les boucles que fait la fumée d'une cigarette, les dessins que

Mathias ébauche machinalement sur son agenda, les courbes décrites par les mouettes dans leur vol (leur œil renforce le thème du regard fixe), les menottes qu'imagine Mathias, les piquets utilisés pour lier la victime, les empreintes circulaires laissées par les verres sur les comptoirs, etc. La bicyclette dont se sert Mathias a cette même forme de huit (deux cercles réunis par une chaîne) ; et, comme l'explique Mathias au patron du café, « la configuration générale du chemin parcouru à travers l'île (est) une sorte de huit » (configuration parodiée par le titre imprimé sur l'affiche : « Monsieur X sur le double circuit »). Dans le temps, l'action fait un huit : Mathias achève d'en parcourir la première boucle au moment où, dans l'après-midi de la première journée, il rate son bateau ; au cours des jours suivants, il refait son itinéraire pour fermer l'autre boucle du huit. Et c'est après avoir dépassé l'endroit où les deux boucles de l'itinéraire insulaire se touchent (au tournant) que Mathias, en brisant la forme du huit, s'échappe hors de l'emploi du temps prévu et entre dans le domaine et le temps vides de l'« heure du crime » sur la falaise.

Malgré le changement de *décor* que constitue l'île du *Voyeur* par rapport à la ville nordique des *Gommes,* nombre de procédés de description employés par Robbe-Grillet dans son premier roman se retrouvent dans le deuxième (tout comme ils se retrouveront, après avoir presque disparu dans *la Jalousie,* dans son ouvrage suivant, *Dans le Labyrinthe*). Si le « décor urbain » des *Gommes* (canaux, tramways, restaurants automatiques, etc.) disparaît dans *le Voyeur,* des éléments descriptifs persistent, appliqués à un autre contexte : les descriptions de canaux se ressemblent à celles de l'eau du port. Si « toutes les maisons sont construites sur le même modèle » (*Les Gommes*), « toutes les maisons de l'île se ressemblent » (*Le Voyeur*). La place principale de la ville des *Gommes,* avec son atmosphère de tableau de Chirico, est occupée par une statue se dressant « sur un socle peu élevé que protège une grille ». De même, la petite place du bourg dans *le Voyeur* a sa statue, son socle et sa grille, dont l'ombre tombe sur Mathias comme celle de barreaux de prison. Dans les deux cas, une allégorie rattache le sujet de la statue à celui du roman : dans *les Gommes,* un guerrier sur un char (comme celui de Laïus, père d'Œdipe) ; dans *le Voyeur,* une paysanne qui regarde (comme Jacqueline) vers la mer. Des images objectives d'une pensée confuse (le grouillement des doigts du policier dans *les Gommes*) se répètent ici dans des formes nuageuses « incertaines que le vent disloquait en mailles lâches » et dans l'enchevêtrement des sentiers autour du lieu du crime, qui offrent « tous un parcours sinueux et morcelé, bifurquant, se raccordant, s'entrecroisant sans cesse, ou même s'arrêtant net au milieu des bruyères ». Les carrelages noirs et blancs eux-mêmes, et les paquets de cigarettes bleus, les chambres aux lits défaits, les dessins obsédants sur les portes, les boutiques d'objets variés et « absurdes », l'atmosphère des bistrots enfin, viennent plus ou moins directement des *Gommes.*

Mais l'art de Robbe-Grillet évolue. Le style du *Voyeur* développe en l'épurant celui des *Gommes.* Les phrases d'inspiration géométrique ou scientifique, qui avaient tant attiré l'attention des critiques (et des écrivains) sur le langage des *Gommes,* et qui sont pour ainsi dire l'armature du « style Robbe-Grillet », comprenaient des termes et des tournures comme : la chaise à 30 centimètres - oblique - taillé en biseau - se coude à 90° - anneau aplati - angle rentrant - à la verticale de l'œil - courbure - inversion - quadrillage - cubique - rectangulaire - transversale - rectiligne - blocs - angle obtus - arcs de sinusoïde - raies - bifurcations -, etc. Beaucoup de ces termes se retrouvent dans *le Voyeur,* tandis que d'autres du même ordre font leur apparition : parallèles - plans perpendiculaires - ligne horizontale - de biais - en diagonale - variations d'amplitude - plan incliné - choc périodique - trajectoire horizontale - cylindrique - fusiforme - en double voûte - sinusoïdes inverses et emmêlées... décalées d'une demi-période sur le même axe horizontal -, et bien d'autres encore (3). En même temps, le style du *Voyeur* s'affermit et se précise, surtout par l'élimination de ce ton « facile » de roman conventionnel qui était souvent adopté dans *les Gommes* (presque simenonesque, comme : « Cette idée l'amuse énormément, son corps bien nourri est tout secoué par le rire », etc.). L'écrivain « s'arrache » à lui-même son style.

Les objets d'une chambre, dont les rapports étaient déjà minutieusement observés et décrits dans *les Gommes* et dans les *Trois Visions réfléchies*, jouent dans *le Voyeur* le rôle de supports objectifs aux projections de l'imagination ou du regard obsédé. Décrivant la chambre occupée par Mathias, l'auteur commence par la porte, passe longuement d'un meuble à l'autre sous la stricte perspective d'un observateur fixe (procédé qui, en corrigeant l'absence de point de vue dans les descriptions néo-balzaciennes, contribue à édifier un véritable « volume existentiel » de la chambre), puis immerge toute cette construction dans une « réalité » nouvelle en nous apprenant que c'est dans l'une de ces armoires que Mathias enfant rangeait sa collection de ficelles et de cordelettes.

Un des procédés les plus originaux des *Gommes* était l'emploi de scènes figées prolongeant indéfiniment

---

(3) J'ai déjà signalé, à propos des *Gommes,* que les termes géométriques et scientifiques servent à « nettoyer », à déconditionner les objets décrits, suivant la théorie robbegrilletienne des objets *neutres.* Quant aux origines de ce style « technique », on peut les trouver chez Sartre, dans *la Nausée* par exemple, où sont décrits des parallélépipèdes. On décèle par ailleurs des ressemblances frappantes entre les passages de style géométrique chez Robbe-Grillet et certains textes des livres d'arithmétique utilisés dans les écoles. Dans *le Voyeur,* p. 191, on lit : « C'était une borne kilométrique du modèle ordinaire, parallélépipède rectangle raccordé à un demi-cylindre de même épaisseur (et d'axe horizontal). Les deux faces principales — carrées s'achevant en demi-cercle... », etc. Un livre de classe (de sixième) contient ce passage : « Une borne indicatrice [...] se compose d'un socle en forme de parallélépipède rectangle qui soutient une colonne cylindrique. Sur celle-ci repose un porte-panneau en forme de cube... », etc. (*Arithmétique et travaux pratiques,* par C. Lebossé et C. Hémery, Paris, Nathan, p. 152). Ce genre de description précise a dû marquer fortement l'esprit du jeune Robbe-Grillet.

l'existence d'un instant de réalité fugitive : Garinati gravissant les marches de l'escalier était l'objet d'un figement que Robbe-Grillet comparait à la mésaventure d'un acteur s'immobilisant au milieu d'une scène ou d'un chef d'orchestre s'arrêtant le bras levé au beau milieu d'une phrase musicale. L'insistance de l'auteur sur ces *comparaisons* ôtait à la scène toute « littéralité » et en faisait une espèce de métaphore. Au contraire, l'utilisation de ce procédé dans *le Voyeur* donne naissance à plusieurs tableaux saisissants, où le texte, « paralysant » l'action, réussit à « objectiver » des états intérieurs, et à les communiquer ainsi directement au lecteur. Là encore, Robbe-Grillet procède par touches préparatoires, posant d'abord, par une comparaison conventionnelle, l'action arrêtée. Mathias observe la fillette, dont la posture déclenche ses premières visions érotiques, revoit la scène de violence entrevue le matin même : le géant, le bras levé, le cri de la victime venant de derrière les rideaux rouges. La scène se fige :

> Toute la scène demeurait immobile. Malgré l'allure inachevée de son geste, l'homme ne bougeait pas plus qu'une statue (p. 28).

Cette première apparition de la *victime* se renouvellera avec des variantes et des prolongements : la fillette du bateau, la serveuse du café, la fille représentée sur l'affiche, celle du tableau accroché au mur de la chambre, Jacqueline-Violette adossée à l'arbre sur la photographie, la femme craintive de Robin (figure centrale d'une scène semblable à la toute première de la série), Jacqueline elle-même enfin, liée aux piquets dans la vision atrocement sadique que Mathias finit par ne plus pouvoir réprimer (p. 246).

C'est évidemment la peur, ou plutôt l'émoi érotique que provoque chez Mathias la vue d'une victime apeurée, qui dans son esprit « fige » la scène de la serveuse. Cette dernière, sur qui pèse le regard de son maître, reste comme hypnotisée :

> Les autres personnages étaient tous immobiles déjà. Une fois résorbé, à son tour, le déplacement craintif de la jeune fille, [...] la scène entière se solidifia.

> Tout le monde se taisait.
>
> La servante regardait le sol à ses pieds. Le patron regardait la servante. Mathias voyait le regard du patron. Les trois marins regardaient leurs verres. Rien ne révélait la pulsation du sang dans les veines — ne fût-ce qu'un tremblement.
>
> Il serait vain de prétendre évaluer le temps que cela dura (p. 57-58).

Par une suite de phrases très courtes, le texte ralentit, freine l'action, l'arrête. Plus tard, après le crime, lorsque le patron du café propose à Mathias de s'embarquer à bord d'un chalutier qui appareille pour le continent, la tension intérieure du protagoniste, torturé par le désir de fuir l'île et la peur de laisser soupçonner une hâte coupable, se traduit par une autre sorte de scène figée, dans laquelle les déplacements extérieurs subissent une série de décalages. Par la porte vitrée du café, Mathias aperçoit un pêcheur (c'est le « fiancé » de Jacqueline) qui s'avance d'un pas rapide sur la jetée. Il quitte des yeux un moment, converse avec le patron, regarde de nouveau par la vitre : bien qu'il marche toujours du même pas, le pêcheur semble être demeuré exactement à la même place, comme si, pendant le temps où Mathias ne l'observait pas, il était resté figé dans sa dernière attitude.

> Un coup d'œil à travers la porte vitrée lui cause encore la même surprise : le pêcheur se trouve exactement à l'endroit où il croit l'avoir vu un instant auparavant, lorsque son regard l'a quitté, marchant toujours d'un pas égal et pressé devant les filets et les pièges. Dès que l'observateur cesse de le surveiller, il s'immobilise, pour reprendre son mouvement juste au moment où l'œil revient sur lui — comme s'il n'y avait pas eu d'interruption, car il est impossible de le voir s'arrêter ni repartir (p. 242).

Evidemment, il ne peut s'agir que de l'objectivation d'un état psychique lié à quelque désordre fondamental affectant l'esprit de Mathias. Ce n'est pas pour rien que l'auteur met en scène un protagoniste qui « ne cadre pas avec lui-même ». Le moment est donc venu de parler, en dépit des réserves que fait Robbe-Grillet sur ce genre d'interprétation, d'une « psychologie » implicite servant de base au comportement du personnage principal.

Car chaque roman de Robbe-Grillet, en dehors de son système « formel » de correspondances internes, est organisé autour d'un thème psychologique se développant de façon sous-jacente comme support à l'unité de l'œuvre. Tout se passe comme si l'auteur voulait une fois encore illustrer le principe de Gaston Bachelard — déjà mentionné à propos des *Gommes* — selon lequel « une œuvre littéraire ne peut guère recevoir son unité que d'un complexe ». Dans *les Gommes,* le complexe d'Œdipe relie et explique toute l'intrigue ; dans *la Jalousie,* les liaisons entre scènes procèdent d'une obsession paranoïaque qui transforme le soupçon en folie délirante ; le soldat de *Dans le Labyrinthe* est atteint d'une sorte d'amnésie et le mythomane de *l'Année dernière à Marienbad* cherche à détruire le principe de « réalité » dans l'esprit d'une femme anormalement suggestible.

Et Mathias, dans *le Voyeur* ? Lui aussi participe de la psycho-pathologie robbegrilletienne. Mais avant de chercher à le situer dans la gamme des types plus ou moins anormaux qui semblent hanter Robbe-Grillet, il y a lieu de dénoncer certaines erreurs d'interprétation psychologique qui ont brouillé le sens du mot *voyeur,* et déformé le rapport que ce terme peut entretenir avec le personnage de Mathias. On a vu comment les critiques, en attribuant à Mathias la vision géométrique qui organise le décor du roman, ont fait de lui un *voyeur-voyant,* comme si les formes de cet univers romanesque dépendaient de sa psychologie (ou de son absence de psychologie), alors qu'en réalité cette psychologie tacite ne fait qu'opérer sur un monde robbegrilletien. Cette confusion sur le sens du mot *voyeur* (le mot n'apparaît que dans le titre) a par ailleurs amené certains critiques à considérer Mathias comme un personnage totalement vide, « transparent », comme dit Bernard Dort, et « nul ». Roland Barthes le prive même d'intentions, affirmant que nous ne connaissons de son crime « ni des mobiles, ni des étapes, ni même des actes », encore qu'en parlant d'une absence d'« intentionalité explicite », Barthes laisse croire à la possibilité d'une interprétation psychologique. Maurice Blanchot parle de la « destruction de l'intériorité » du protagoniste et qualifie plaisamment ce dernier de « voyeur de commerce ».

Mais Mathias n'est pas le *voyeur* du titre, et sa personnalité, loin d'être nulle, transparente, ou même ambiguë, fonctionne presque comme un cas classique de schizophrénie cyclique, teintée d'érotomanie sadique.

D'abord, le *voyeur*. Une fois rejeté le prétendu rapport entre le personnage de Mathias et « la minutie, la méticulosité de l'observation » (Pierre Lagarde) dans la description robbegrilletienne, il convient de chercher pour *voyeur* un sens plus exact, non plus basé uniquement sur l'idée de géométrie ou de minutie visuelle. Cet autre sens, évidemment, tend à redonner au mot son acception coutumière : le *voyeur* est celui qui observe les actes érotiques d'autrui sans y participer et de préférence sans être lui-même observé. Le seul critique à tenir compte de ce sens du mot *voyeur* (Robert Champigny) s'élève contre le titre du roman, objectant que le mot ne correspond pas au personnage du héros : Mathias, au lieu d'être un voyeur passif, commet un meurtre accompagné d'actes sadiques et peut-être même de viol. Sans doute ; mais qu'est-ce qui nous prouve que le *voyeur* du roman est bien Mathias ? Est-ce une confusion semblable qui a amené tant de critiques (Blanchot, Germaine Brée, etc.) à douter de la réalité même du crime de Mathias ? Car si l'on voulait à tout prix faire de Mathias *le voyeur*, il fallait bien admettre que son seul acte de « voyeurisme » était antérieur à l'embarquement pour l'île, et que tout le reste (torture et meurtre de Jacqueline, mensonges, inventions, contradictions, sa panique même) n'était qu'accumulation de phantasmes sans fondement.

Non, loin d'être le voyeur, Mathias est l'*objet* ou *la victime* du voyeur. L'œil de la mouette lui-même, et les dessins sur les portes (« des lunettes, des yeux ») sont dirigés vers Mathias, et ne représentent nullement un regard qui émane de lui. Une lecture attentive du récit démontre que Mathias devient avant tout l'objet d'un regard. A la ferme Marek, lorsque le jeune Julien tourne pour la première fois vers Mathias ses yeux fixes, affligés d'un « léger strabisme », on lit :

> Il se contentait de déplacer légèrement les prunelles, afin de conserver le regard sur Mathias. [...] Julien ne quittait pas le voyageur des yeux. [...] Sans détacher ses yeux de ceux du voyageur. [...] Les regards trop insistants du jeune homme [..., etc] (p. 196-201).

C'est lorsque Mathias aperçoit Julien sur la falaise, épiant ses efforts pour faire disparaître les indices du crime, que le rôle de *voyeur* de Julien commence à s'éclairer :

> Julien le regarda sans rien dire, avec toujours les mêmes yeux fixes. [...]
> « Un vieux truc, dit [Mathias], que j'avais trouvé là. »
> — Un tricot, corrigea la voix imperturbable du guetteur...
> Julien [...] regarda le sac [de bonbons], puis le voyageur, et encore le sac. Mathias comprit, à cet instant, ce qu'il y avait de singulier dans ces yeux. [...] Il le dévisageait de nouveau. [...] Ou bien était-ce un œil de verre, qui rendait si gênant son regard ? [..., etc.] (p. 207-210).

Mathias se rend compte enfin que Julien a *vu* son crime :

> Mais il fallait autre chose que des soupçons — même précis — pour autoriser une telle assurance. Julien avait « vu ». Le nier ne servait plus à rien. Seules les images enregistrées par ces yeux, pour toujours, leur conféraient cette fixité insupportable (p. 214).

Le *voyeur* donc, c'est Julien. Représente-t-il aussi un Mathias jeune, innocent, mais déjà attiré vers la criminalité ? C'est possible ; le système de Robbe-Grillet favorise ces correspondances (Wallas-Garinati dans *les Gommes,* le soldat et le gamin du *Labyrinthe*). Mais l'essentiel est de rejeter l'identification Mathias-voyeur, et d'éviter ainsi des déclarations du genre : « Il s'agit donc moins d'un Voyeur que d'un Menteur » (Roland Barthes), déclaration résultant d'un effort trop ingénieux pour expliquer le paradoxe d'un titre mal compris (4).

---

(4) Le titre primitif du roman était *le Voyageur,* comme on peut à la rigueur le deviner à la lecture de l'ouvrage (le protagoniste est toujours appelé « Mathias » ou « le voyageur », le mot

Mathias, avons-nous dit, est un schizophrène sadique. S'il rappelle le personnage du boucher de Düsseldorf incarné par Peter Lorre dans le film de Fritz Lang — qui contient lui aussi les « indices objectifs » d'un crime —, c'est plus une coïncidence de matière psychologique que de structure esthétique. Lorsque le lecteur du *Voyeur* commence, au début de la seconde partie, à entrevoir les motivations « infraconscientes » de la conduite de Mathias, puis l'acte sadique lui-même, censuré, réprimé, mais prêt à surgir de nouveau et à modifier à tout moment la réalité objective, il partage pleinement cette angoisse coupable et devient victime avec Mathias d'une schizophrénie simulée. C'est le secret du *Voyeur,* comme de tous les romans de Robbe-Grillet,

« voyeur » n'apparaissant nulle part). Mais ce titre plutôt banal manquait d'intérêt. L'auteur proposa alors à son éditeur la trouvaille, qui a tant contribué au succès du roman, du *Voyeur*. Ce qui est remarquable, c'est que le roman contenait une action de nature à justifier le titre définitif, et que *voyeur* n'était pas sans rapport avec certaines idées de Robbe-Grillet sur la description visuelle et la primauté des termes d'optique. Le mot lui-même de *voyeur* figurait dans un des premiers textes de Roland Barthes sur Robbe-Grillet. Pour montrer la parenté entre la peinture moderne et le système descriptif de certains écrivains actuels, Barthes avait déclaré : « La description moderne [...] fixe le voyeur à sa place » (« Littérature objective », *Critique,* juillet août 1954). Le titre du *Voyeur* est donc en partie, sinon une coïncidence, du moins un effet du « hasard objectif ». S'il est vrai, comme je le pense, que le seul voyeur dont il puisse s'agir dans le roman est le petit Julien, une certaine difficulté surgit, car, au sens de l'argot des « maisons », le voyeur est un habitué, un amateur de ce genre de spectacles. Je cite la pertinente observation que M. Jean Hytier me fait à ce propos : « Or, pour Julien, m'écrit M. Hytier, c'est une première expérience, et il y a peu de chances qu'elle se renouvelle. Mais, à la rigueur, on peut l'appeler un *voyeur* (tout comme le jeune Marcel assistant à la conjonction Jupien-Charlus). Il se pourrait aussi que l'auteur ne soit pas trop scrupuleux sur la propriété des termes (en dehors du vocabulaire du géomètre, du physicien et de l'arpenteur), mais alors, c'est la porte ouverte à toutes les interprétations... *Voyeur* finirait par signifier n'importe quoi. Saint-Simon emploie le mot au pluriel pour désigner des curieux qui sont là pour assister à quoi que ce soit. Il y a, en vieux français, un mot *voieur* (qui est notre *voyer,* « officier préposé à la police des chemins et des rues » ; il n'était pas sur la route de notre héros), mais en relations avec *voie,* et non avec *vue,* c'est dommage. »

non d'*analyser*, mais de *créer* la psychologie, et de l'imposer au lecteur par une écriture objective.

Rien de plus cohérent, dans *le Voyeur,* que le rapport constant entre la psychologie implicite de Mathias et l'enchaînement des scènes : retours en arrière, visions projetées dans le futur, déformations de la réalité, scènes figées, arrêts soudains dans le déroulement des pensées de Mathias, corrélations entre images, désagrégation du langage et de la syntaxe — tout s'explique en fonction de son complexe, où se mêlent l'érotisme, la terreur de l'échec, la volonté désespérée de passer pour un homme normal. Tout est fonction d'une schizophrénie sadique, intermittente ou cyclique, qui ne s'explique pas, qui *est là,* comme donnée fondamentale, déterminante.

Le rôle joué par la photographie de Jacqueline que Mathias découvre chez Mme Leduc éclaire utilement le fonctionnement de ce principe de liaison. La seule vue de cette photo provoque chez Mathias une confusion brutale entre Jacqueline et Violette, la fille mentionnée sur la coupure de presse, peut-être (5) ; imaginant une scène érotique où Jacqueline-Violette serait « liée », Mathias, incapable de se maîtriser, ne voit pendant quelques instants que l'image objectivée de son sadisme latent :

> Au pied du pin les herbes sèches commençaient à flamber, ainsi que le bas de la robe en cotonnade. Violette se tordit dans l'autre sens et rejeta la tête en arrière, en ouvrant la bouche. Cependant Mathias réussissait enfin à prendre congé. [...] (p. 85).

Plus tard, Mathias retrace mentalement son itinéraire de la journée, s'efforçant de se forger un alibi solide. Chaque fois qu'il en arrive à la photographie de Jacqueline, le même pouvoir d'attraction érotique,

---

(5) Dans *le Rocher de Brighton* de Graham Greene, ouvrage dont nous avons signalé les rapports avec *les Gommes,* on trouve aussi un article de journal relatant un crime sadique, le meurtre d'une petite *Violette,* violée et jetée au bord de la mer. On dirait la coupure de presse même conservée par Mathias (et peut être aussi celle à laquelle Sartre fait allusion dans *la Nausée*).

maintenant renforcé par le souvenir réprimé du crime, l'attire vers le gouffre de son acte, vers ce « trou » dans le temps qui s'agrandit inexorablement malgré tous ses efforts :

> Tout le début s'était déroulé à une allure très vive... le corridor... la grande cuisine, la table ovale... la pression des doigts sur la fermeture de la mallette, le couvercle qui bascule en arrière, l'agenda noir, les prospectus, le cadre rectangulaire posé sur le buffet, le support en métal brillant, la photographie, le sentier qui descend, le creux sur la falaise à l'abri du vent, secret, tranquille, isolé comme par les plus épaisses murailles... comme par les plus épaisses murailles, la table ovale. [...] (p. 117).

Mais cet effort de répression serait infructueux si Mathias ne réussissait à bloquer la suite de ses « pensées » en les arrêtant de force devant l'image de Jacqueline :

> ... le couvercle qui bascule en arrière... l'agenda noir, les prospectus, le cadre en métal brillant, la photographie où l'on voit... la photographie où l'on voit la photographie, la photographie, la photographie, la photographie... (p. 117).

Ainsi s'expliquent les autres arrêts brusques (comme celui de la page 106), de la serveuse « au visage apeuré » et les échappatoires discursives qui viennent s'interposer en une image refoulée et la pensée « consciente » de Mathias (les mégots de cigarette dont « personne, raisonnablement, n'irait jamais imaginer l'usage qu'on en avait fait », la pelotte de ficelle dont « il s'était souvenu qu'il ne l'avait plus sur lui », etc.).

Nous terminerons notre étude du texte par l'examen de cette scène capitale où le dédoublement du protagoniste se manifeste par une rupture psychique si violente qu'il se divise littéralement « en deux », et tombe victime d'une syncope. Pour bien suivre le développement de ce passage, il faut se rappeler que tout au long du livre, Mathias est désigné soit par son nom, soit par le terme de « voyageur ». Dans cette scène, il se tient debout au comptoir du bistrot, face à un miroir. Les éléments d'un dédoublement des mots et des images sont donc déjà réunis, et c'est au moyen de ces éléments que Robbe-Grillet va exprimer le trouble de Mathias, puis son évanouissement au terme d'une vraie crise de schizophrénie :

> Mathias termina son absinthe. Ne sentant plus la petite mallette entre ses pieds, il abaissa le regard vers le sol. La valise avait disparu. Il enfonça la main dans la poche de sa canadienne, pour frotter ses doigts maculés de cambouis contre la cordelette roulée, tout en relevant les yeux sur le voyageur. La patronne crut qu'il cherchait de la monnaie. [...] Il se tourna donc vers la grosse femme, ou vers la femme, ou vers la fille, ou vers la jeune servante, puis reposa la valise afin de saisir la mallette tandis que le marin et le pêcheur s'immisçaient, se faufilaient, s'interposaient entre le voyageur et Mathias. [...]
>
> Mathias se passa la main sur le front. Il faisait presque nuit. Il était assis, sur une chaise, au milieu de la rue — au milieu de la route — devant le café des Roches Noires.
>
> « Alors, ça va mieux ? » demanda près de lui un homme vêtu d'un blouson de cuir (p. 222).

Si, lors de sa première incursion dans le café (page 107), avant que la nouvelle de la mort de Jacqueline ne se fût répandue, Mathias avait su résister aux tensions produites par la conversation imprécise qui parvenait à ses oreilles, cette fois-ci son univers chavire. La récapitulation du crime, jointe au récit de la légende du pays où une jeune fille est sacrifiée aux voyageurs et précipitée du haut d'une falaise, l'atteint avec une violence extrême ; il se lance d'abord dans une série d'altérations dangereuses (grosse femme, femme, fille, jeune serveuse), qu'il veut arrêter à tout prix, mais le décalage qui en résulte fait « éclater » les deux moitiés de sa personnalité : il se voit littéralement séparé en deux individus distincts, entre lesquels le marin et le pêcheur s'interposent. Ainsi déchiré, submergé de terreur et d'angoisse, il s'évanouit. Mais — faut-il insister ? — l'effet produit sur le lecteur vient moins de la compréhension intellectuelle de ce qui se passe que du contact direct avec le texte. L'écriture objective matérialise l'état mental du protagoniste, et le lecteur, pour la durée du récit, devient lui-même Mathias.

Le sens général du mot *voyeur* est donc clair. Loin d'être un « roman de l'irrémissible, ou celui de l'inexistence de tout, fût-ce du crime » (Blanchot), où le crime de Mathias « est un crime qu'il n'a pas accompli, que le temps a accompli pour lui » (Gaëtan Picon), c'est plutôt l'histoire d'un cas pathologique dont nous partageons, par des moyens littéraires, le dérèglement organique. L'univers où le protagoniste se meut est l'univers robbegrilletien où l'auteur le situe, et non celui qu'il concevrait en tant que voyeur « transparent », dont la prétendue absence de personnalité expliquerait (d'une façon qui n'est jamais précisée par les tenants d'une telle interprétation) le style et les images du livre. Les mécanismes psychiques du héros soumettent l'univers qui l'entoure à des déformations, mais les scènes déformées qui en résultent, en passant par le style et les procédés structuraux de l'auteur, sont frappées de cette « exactitude inventée » et rigoureuse que Robbe-Grillet préconise dans un de ses nombreux plaidoyers en faveur d'une écriture objective (voir l'interview donnée à Bernard Pingaud dans *Pensée Française,* 15 décembre 1956, page 55).

Le Voyeur est-il un livre immoral ? La question paraît fort peu robbegrilletienne, mais certains critiques l'ont posée, tel Emile Henriot, pour qui le roman « relève de la 9e chambre ou de Sainte-Anne ». Mathias, à la fin du récit, quitte le lieu du crime en toute impunité. Que faut-il en conclure ? On sait que Robbe-Grillet envisage une littérature qui pourrait être celle « d'une société réconciliée avec elle-même ». Cette conclusion se réfère-t-elle à une société de cette sorte, très raffinée, qui n'exigerait plus de « rétribution » conventionnelle ? Est-ce un effet de choc à la Hitchcock, qu'on serait censé ne pas trop prendre au sérieux ? Doit-on voir dans l'image de la bouée en forme de cage un support à l'idée de prison ?

Il ne semble pas qu'on doive rattacher le sadisme de Mathias à cette protestation contre la sentimentalité romanesque dont parle R.-M. Albérès dans *Portrait de notre héros,* et qu'il appelle « libératrice ». Cette dernière, en effet, inciterait le romancier cultivant la « sincérité » à assassiner David Copperfield ou à violer la petite Dorritt. Il y a loin, pourtant, d'un acte de sincérité métaphysique inversée (à l'instar du Divin Marquis) à l'acte quasi abstrait de Mathias, qui se présente un peu comme la simulation d'un de ces cas décrits dans quelque manuel de psychopathie sexuelle, où l'auteur ne vise aucune démonstration philosophique, et où la question de rétribution ne se pose même pas.

Cette fin est-elle un défi, un refus, un gage de l'indépendance artistique du romancier ? Doit-on même refuser d'en chercher une explication ? Toutes les conjectures sont possibles. La plus satisfaisante serait peut-être qu'infliger un quelconque châtiment à Mathias n'apporterait rien à l'unité structurale du roman, lequel ne « cadre » que l'action centrale. En tout cas, c'est sûrement en dehors de toute préoccupation morale ou sociale que le lecteur s'initie, avec *le Voyeur,* à une expérience littéraire des plus étonnantes.

CHAPITRE IV

LE PAROXYSME DU « JE-NÉANT » : *LA JALOUSIE* (1957)

« La conscience [...] ne peut qu'épouser la forme de la cavité qu'elle remplit. »

R.-M. Albérès.
Portrait de notre héros.

Bien lire une œuvre littéraire n'est jamais chose facile, à plus forte raison quand il s'agit de dégager les aspects fondamentaux d'une œuvre extraordinairement complexe : c'est pourtant lorsqu'elle résiste à l'analyse ou que sa structure paraît la plus déconcertante que le travail du critique se révèle le plus profitable. Ainsi en est-il de *la Jalousie,* d'Alain Robbe-Grillet. Ce récit fort et dense, qui marquera probablement une étape décisive dans le « nouveau roman » sinon dans l'histoire des formes romanesques de notre siècle, mérite une étude minutieuse. Que nous offre-t-il ?

L'auteur lui-même nous décrit à la quatrième page de couverture — dans la première édition du livre, du moins — la forme générale qu'emprunte le récit de *la Jalousie.* Cette histoire à trois personnages, le mari, la femme et l'amant présumé, nous est narrée par un planteur qui, passant d'une pièce à l'autre de sa maison située face à une bananeraie tropicale, surveille sa femme, qu'il soupçonne. Guidé par ce « prière d'insérer », le lecteur peut s'orienter assez vite dans un texte à la première personne d'où, cependant, le « je », comme toute autre référence pronominale, est totalement absent. L'étude des pronoms narratifs reste d'ailleurs à faire : par la suite, le succès du « vous » narratif dans *la Modification* de Michel Butor a incité plusieurs critiques à examiner les conditions d'emploi des « je », des « il », etc., dans la fiction romanesque récente, pour tenter d'établir un classement des points de vue. Cette question, relativement nouvelle en France, est traitée depuis longtemps à l'étranger, surtout aux Etats-Unis, dans toute étude sérieuse sur le roman ; il est surprenant de constater à quel point la critique littéraire française a négligé ce problème. (La critique de cinéma en revanche se concentre principalement sur le point de vue, les angles de « prise », les « travellings », etc. (1).)

Le mode narratif — qu'on pourrait appeler le « je-néant » (2) — de *la Jalousie* ne constitue qu'un

(1) Je me permets de renvoyer à mon article « Roman et Cinéma : le cas de Robbe-Grillet » (*Symposium*, été 1961) et à mon étude sur le *point de vue* citée plus loin dans ce chapitre.

(2) En désignant par « je-néant » le mode narratif de *la Jalousie* j'entends non seulement me référer à l'absence de tout emploi de pronom à la première personne, mais aussi souligner tout ce que ce procédé implique de phénoménologique et d'existentiel. Selon les idées de Sartre exprimées dans *l'Etre et le Néant,* la conscience n'existe que comme résultat d'un processus de *néantisation* vis-à-vis des objets ou des événements. Sartre écrit : « Le pour-soi n'a d'autre réalité que d'être la néantisation de l'être, sa seule qualification lui vient de ce qu'il est la néantisation de l'en-soi individuel. » Voici l'explication très claire que donne R.-M. Albérès de ce passage (voir *Portrait de notre héros,* p. 156) : « Le phénoménologue, étudiant l'ontologie d'après les structures de conscience, ne reconnaît dans le monde qu'Etre-en-soi et Etre-pour-soi, c'est-à-dire chose et conscience. La loi de la conscience (être-pour-soi) est de ne pas être ce qu'elle est et d'être ce qu'elle n'est pas, puisque la conscience est toujours conscience *de* quelque chose. La conscience humaine ne peut être que cette néantisation qui appelle le monde à l'existence. » On ne saurait trouver de meilleure démonstration de cet existentialisme du néant auquel renvoie, implicitement, la technique du « je supprimé » de *la Jalousie,* ni de meilleur soutien à la théorie robbegrilletienne des objets-supports, des objectivations mentales ou des corrélatifs extérieurs. Le fait

des systèmes de convention (comme description, vocabulaire, images, emploi des dialogues, etc.), applicables à la rigueur de l'étude du roman. Il est cependant préférable de forger un système spécialement adapté à l'œuvre que l'on veut examiner. Or, dans *la Jalousie,* c'est la *structure* qui domine toute autre considération. La difficulté réside dans le fait que ce concept de structure prolifère en quelque sorte à la lecture et empiète sur d'autres domaines dont il se révèle inséparable : l'intrigue et sa « chronologie », la succession des scènes, les répétitions et les variantes, l'emploi des thèmes formels, le rôle des objets et ainsi de suite.

Fait paradoxal pour ce roman foncièrement antichronologique, c'est un résumé « linéaire » de l'intrigue qui nous permet le mieux de pénétrer les détours de sa structure. Mais n'oublions pas que cette méthode d'approche ne se propose en aucun cas de rétablir la chronologie de l'intrigue et ne se justifie que comme moyen d'étude d'une technique romanesque nouvelle. C'est un travail de laboratoire, nullement une explication du roman.

Bien loin d'être un phénomène isolé dans la littérature moderne, la conception nouvelle du temps chez Robbe-Grillet se situe dans une perspective dont l'origine remonte aux sources mêmes de la littérature narrative (voir Homère et les retours en arrière dans les récits d'Ulysse). Le lecteur désireux de se faire une idée d'ensemble sur la représentation du temps chez les écrivains du XXe siècle se reportera à *Temps et Roman* de Jean Pouillon ou à l'article de Jean Onimus sur « l'expression du temps dans le roman contemporain » (3).

Il ne s'agit, pour l'auteur de *la Jalousie,* ni de faire des incursions dans le passé (Proust), ni d'écha-

---

que la justification de cette technique se trouve renforcée par sa vraisemblance psychologique (comme en convainc *la Jalousie*) souligne l'extrême richesse de ses procédés qui commencent à se répandre dans le roman contemporain (chez Claude Ollier, Jean Ricardou, d'autres encore).

(3) *Revue de Littérature comparée,* juillet-septembre 1954.

fauder une durée multiple (Gide, Dos Passos, Sartre), ni d'enchevêtrer plusieurs intrigues à chronologie ambiguë (Faulkner), ni de ménager les interpénétrations d'un passé lointain avec le présent (Huxley, Graham Greene), ni d'élaborer un temps truqué pour parvenir à un dénouement-surprise, un renversement du temps, etc. (romans policiers), ni de mêler le présent au passé par le procédé cinématographique du « flashback ».

S'il fallait préciser ce dont il s'agit, on pourrait dire, de façon un peu simpliste, que c'est de créer, aussi objectivement que possible, le « contenu mental » d'un narrateur jaloux : ce que voit, ce qu'entend, ce que touche, ce qu'imagine cet homme au cours d'une période assez brève (quelques jours, au plus quelques semaines) durant laquelle il vit, souffre, observe, se rappelle les événements pour en nourrir une « expérience » qui constitue le roman même. Il en résulte une forme d'une grande souplesse dans la répétition des scènes, le développement des épisodes et de certaines descriptions d'objets, forme analogue à celle qui détermine la présentation des thèmes dans une œuvre musicale. Mais, comme toutes les analogies, celle-ci risque de fausser la nature d'une œuvre faite non de sons ordonnés par des rythmes et traduits par des harmonies, mais de mots et de phrases chargés de réminiscences psychologiques et de toutes les significations que l'usage leur a successivement données. Il faut préciser, de plus, que cette liberté de forme apparaît surtout dans la chronologie « extérieure » du roman. La chronologie « intérieure », comme on le verra, suit rigoureusement la progression psychologique.

La composition de *la Jalousie* est donc commandée par la vision d'un homme, d'un jaloux qui progresse dans le temps, c'est-à-dire *vit* les épisodes, mais aussi les *réexamine,* les compare, les interroge et surtout les modifie, les change au gré de son imagination. Il y a bien un mouvement linéaire dans la chronologie, depuis les soupçons qui naissent au début jusqu'à l'apaisement final, après l'apparent échec de l'aventure entre la femme et l'amant ; mais il est sans cesse contrarié, semé de répétitions, coupé d'anticipations, de raccourcis, de retours en arrière et semble s'arrêter dans la quatrième partie d'un roman qui en comprend neuf. Dès lors, aucun fait nouveau, hormis l'absence de la femme, n'interviendra dans le déroulement de l'intrigue. C'est pourtant seulement dans la septième partie du livre que la crise atteindra son paroxysme, après d'étonnantes et brillantes variations sur les matériaux déjà introduits. Les deux dernières parties constituent un *diminuendo* et une *coda* d'une virtuosité et d'une beauté exceptionnelles.

On peut distinguer aussi, de façon générale, deux niveaux d'action, celui des scènes qui se déroulent plus ou moins en même temps que le narrateur nous les présente (sans qu'on puisse vraiment dire qu'elles forment une suite chronologique) et celui des scènes auxquelles il se reporte en imagination, qu'il se les rappelle ou les invente, selon les principes que nous examinerons plus tard.

Donc ce qui peut paraître chaos dans l'ordre textuel des scènes est, en réalité, un tout artistique d'une rare cohérence. Par conséquent, extraire de cet ensemble une intrigue linéaire n'équivaut pas à le mettre en ordre, mais plutôt à forger un outil expérimental qui sera abandonné par la suite. Pour rétablir la succession chronologique des faits, il faut tenter de corriger l'image que nous en donne la vision déformante du mari, donc nous désolidariser à tout instant de cet homme avec lequel nous nous confondons à la lecture jusqu'à ressentir nous-mêmes cette émotion qui bouleverse nos perceptions et nos pensées, nous enferme dans un cycle d'images obsédantes où nous perdons la notion du temps chronologique. Nous devons, en somme, nous guérir de cette jalousie que nous avons contractée.

Quelle intrigue linéaire peut-on donc dégager, toutes précautions prises, dans *la Jalousie* ? — ce roman que son auteur a défini, dans une dédicace composée pour le collectionneur M. Artine Artinian, comme « un récit sans intrigue », où il n'y a que « des minutes sans jours, des fenêtres sans vitres, une maison sans mystère, une passion sans personne ».

L'action se situe dans une bananeraie tropicale d'un quelconque pays de langue française, peut-être les Antilles, bien que le paysage décrit évoque plutôt l'Afrique. Nous sommes placés — nul n'en saurait douter après quelques pages de lecture — dans l'esprit, dans le champ même des perceptions sensorielles d'un narrateur ou pseudo-narrateur qui, dès la première phrase du récit fait preuve d'un intérêt minutieux pour tout ce qui l'entoure : la forme carrée de la maison, la terrasse et les piliers qui tiennent lieu de cadran solaire, les arrangements géométriques des bananiers, les plus petits détails du monde qui l'entoure. Cet homme, au centre du récit, qui ne se nomme jamais — se nomme-t-on dans sa propre pensée ? — observe avec plus d'attention encore sa femme A. (Cette initiale seule est-elle un « raccourci psychologique » ou un effet de la timidité chez le narrateur ?) Mais lorsque A tourne la tête vers ce dernier, le texte s'écarte aussitôt d'elle pour cadrer un secteur de la plantation, une balustrade de la terrasse ou tout autre objet, comme si le regard de son mari n'osait l'affronter.

Dès le début du récit, l'inquiétude du narrateur, quant aux actions de sa femme, est sensible dans la façon dont il la surveille tandis qu'elle écrit une lettre dans sa chambre, lit sur la terrasse un roman que lui a prêté Franck, un planteur du voisinage, ou fait enlever le couvert prévu pour Christiane, la femme de Franck qui est souffrante. A semble prêter une oreille attentive à Franck dont l'entrain inquiète le mari et semble impressionner la jeune femme.

Des conversations naissent : Franck parle de pannes de camion, de la qualité des chauffeurs indigènes, s'entretient avec A du roman dont elle a commencé la lecture ; et le narrateur croit déceler dans les commentaires qu'ils en font des allusions à un mari jaloux, à un amant agressif, à une femme complaisante (qui couche même avec des nègres), à toute une histoire ayant pour décor l'Afrique, dont le parallélisme avec sa propre histoire lui fournira à plusieurs reprises les éléments de désagréables spéculations (4).

Ces conversations se poursuivent sur la terrasse à l'heure de l'apéritif, puis après le dîner. A a disposé les fauteuils de manière à se trouver près de Franck tandis que son mari, assis à l'écart, ne peut les voir sans tourner la tête, geste qu'il n'ose faire que plus tard,

---

(4) Ce « roman africain » de *la Jalousie* offre de nombreuses similitudes avec *le Fond du Problème* (The Heart of the Matter) de Graham Greene. On a déjà relevé les points communs entre *le Rocher de Brighton* de Greene et les deux premiers romans de Robbe-Grillet. Celui-ci semble avoir été, à un certain moment, impressionné par l'œuvre du romancier anglais. « Les romans de Greene, m'a-t-il dit un jour, m'ont souvent donné envie de les récrire. » On peut signaler entre le « roman africain » de *la Jalousie, la Jalousie* elle-même et *le Fond du Problème,* les correspondances suivantes, dans l'ordre où elles se présentent dans le roman anglais : le calendrier des postes et la photo de la femme dans le bureau du mari (p. 8), le lézard sur le mur (p. 58), les cafards et leur écrasement (p. 66 et 74), la lutte de Scobie contre la jalousie quand il voit Wilson embrasser sa femme (p. 80), les crises de paludisme et leurs remèdes, atrabine et quinine (p. 81 et 91), la malhonnêteté d'un fonctionnaire (p. 137 et 162), l'entrée imprévue de Scobie (p. 241, cf. *La Jalousie,* p. 83 : « Il est justement rentré plus tôt ce jour-là... »), et d'autres détails encore, sans doute. Robbe-Grillet n'a pas caché, d'ailleurs, que le « roman africain » de *la Jalousie,* en dépit de sa « description de tornade », de sa « révolte indigène », etc..., qui n'ont pas d'équivalents dans le roman de Greene, pouvait bien être cependant *le Fond du Problème.* Mais personne jusqu'ici ne s'est donné la peine de vérifier ces rapports.

La prédilection de Robbe-Grillet pour les imitations réduites de l'œuvre qui s'inscrivent dans l'œuvre elle-même, telles la « légende de l'île » qui résume l'histoire de Mathias dans *le Voyeur,* ou le tableau d'une scène de café qui illustre la situation du soldat de *Dans le Labyrinthe,* fait penser à Gide qui a décrit ce procédé dans son *Journal* de 1893, comme une « mise en abîme » ou mise en place au centre d'une œuvre d'une autre version du sujet « à l'échelle des personnages ». J'ai étudié cette technique sous les angles respectifs de la peinture et du roman dans mon article : « De Stendhal à Robbe-Grillet : modulations du *point de vue* », paru dans les *Cahiers de l'Association internationale des études françaises,* n° 14, juin 1962. Beaucoup d'écrivains du nouveau roman, Nathalie Sarraute, Michel Butor, Claude Simon, Claude Ollier, etc..., partagent le goût de Robbe-Grillet pour ces « duplications intérieures ».

quand il fait nuit noire. Des cris d'animaux qui se déplacent dans l'obscurité renforcent l'atmosphère tendue des tropiques, lourdes de forces cachées.

Brutalité, énergie, sexualité implicites s'expriment dans une scène capitale qui, bien qu'elle ne soit pas située exactement dans le temps, est peut-être antérieure, d'après certains indices, à l'introduction du roman africain. Au cours d'un dîner, un mille-pattes apparaît sur le mur en face de A. C'est Franck qui se lève pour l'écraser, d'abord sur le mur, contre la plinthe ensuite. Les sous-entendus érotiques de cet acte se manifestent chez A par des réactions et des gestes d'allure légèrement mais nettement sexuelle : respiration accélérée, mains crispée sur le couteau. En dehors de cette scène, A ne laisse d'ailleurs jamais deviner le moindre trouble, ce qui accentue encore l'importance du choc ressenti à ce moment. La tache que le mille-pattes a laissée sur le mur constitue alors le repère qui marque le début de l'attraction sexuelle entre Franck et A, et la scène de l'écrasement du myriapode s'associe à l'image d'éventuelles relations physiques entre eux.

C'est l'épisode du seau à glace qui laisse à penser au narrateur, ou plutôt au lecteur qui s'est depuis longtemps assimilé à celui-ci, que A et Franck se concertent à propos de quelque projet commun. Tous trois sont en train de consommer sur la terrasse des boissons que A est allée chercher. Mais ni elle, ni le boy — est-ce parce qu'elle le lui a ordonné ? — n'ont apporté, ainsi qu'ils le font d'habitude, la glace. Les remarques de A sur cet oubli contraignent le mari à s'éloigner pour y remédier. En passant par le bureau, il observe A et Franck entre les lames des jalousies : ces derniers sont immobiles mais ils se parlent peut-être à voix basse. Dans l'office, le boy est en train de préparer la glace pour l'apporter ; il ne parvient que très confusément à rendre compte de ce que A a pu lui dire à ce propos. Au retour, le mari voit, mais seulement lors de la première reprise de cette scène dans sa mémoire, une feuille bleue qui dépasse de la poche de

Franck — une lettre de A ? — et que ce dernier cherche à dissimuler.

Leur projet se précise lorsque Franck, qui se plaint encore une fois de fréquentes pannes de camion, déclare son intention de descendre à la côte en voiture, pour se renseigner en ville sur l'achat d'un véhicule neuf. A propose immédiatement de l'accompagner ; elle a, dit-elle, besoin de faire des courses. Franck explique que sa femme Christiane ne pourra venir avec eux à cause de son enfant, ainsi que de sa mauvaise santé. En tout cas, ils seront de retour dans la nuit s'ils partent de bonne heure. Tout paraît normal, et cependant chaque fois que le narrateur revoit cette scène, elle se fait plus ambiguë à la mesure de l'accroissement de ses soupçons.

A part donc, vers six heures du matin, avec Franck, dans la voiture bleue de celui-ci. Suit la longue journée que passe le mari dans la maison vide. Ce sont les parties VI et VII du roman, au cours desquelles la crise de jalousie du protagoniste atteint son paroxysme. Hanté par les images de sa femme, il rôde de pièce en pièce dans la maison. Dans son bureau, une photo de A lui remémore immédiatement certaines postures de cette dernière assise sur la terrasse, près de Franck. Des scènes lui reviennent à la mémoire, mélangées, altérées, dramatisées : la lettre qu'écrit A dans sa chambre, l'épisode de la glace, les commentaires sur le roman africain, le projet, l'écrasement du mille-pattes. La portée insupportable de cette scène s'affirme de nouveau dans les efforts qu'il fait pour effacer la tache laissée par la bête sur le mur, d'abord au moyen d'une gomme, puis d'une lame de rasoir ; opération qui se confond aussitôt dans son esprit avec un grattage de papier auquel A s'était livrée autrefois dans sa chambre. Cette pièce est soumise à une fouille systématique, jusque dans les tiroirs de la commode et de la table à écrire. L'image du calendrier des postes accroché au-dessus de cette table engendre chez lui des confusions para-criminelles où il mêle, comme il le fera à nouveau plus tard, le motif d'un navire amarré au quai

— thème allié à la peur d'une fuite de A — avec celui d'une sorte d'épave qui flotte sur l'eau, telle une personne noyée. Par la suite, en revenant à ce phantasme, il y reconnaîtra un homme coiffé, ainsi que Franck, d'un casque colonial.

Malgré la présence d'éléments ostensiblement postérieurs à cette journée d'attente, on peut placer à ce moment, du moins psychologiquement, l'apothéose de la scène d'écrasement du mille-pattes. La nuit est venue et, A n'étant pas encore rentrée, le mari s'assied sur la terrasse, écoute le bruit des camions qui passent au loin, observe les mouvements ellipsoïdaux des insectes autour d'une lampe à essence qui siffle. Le tournoiement de ses pensées, exprimé par le manège des bestioles, suscite des images de A et de Franck à table ou assis sur la terrasse. Le mouvement s'accélère quasi mécaniquement : on sent que le narrateur active l'effort de sa mémoire pour parvenir à un point extrême de tension. La scène du mille-pattes lui apparaît de nouveau, mais cette fois il voit Franck écraser la scutigère sur le mur d'une chambre d'hôtel, puis revenir vers A qui l'attend dans un lit surmonté d'une moustiquaire rapiécée, la main crispée sur le drap blanc. Une suite de phrases ambiguës rythmées entraîne le narrateur à la vision mi-érotique, mi-meurtrière d'un accident de voiture à l'occasion duquel A et Franck sont engloutis par de hautes flammes qui crépitent ainsi que le mille-pattes sur le mur, que la brosse dans les cheveux de A. Cette scène imaginaire d'un flagrant délit suivi de mort constitue le point culminant du roman, son sommet psychologique.

Que fait le mari, après ces visions angoissantes ? Passe-t-il la nuit dans le lit même de A sur lequel il imagine la jeune femme étendue dans une posture érotique ? Se livre-t-il à des pratiques solitaires ? Un texte allusif permet de tout supposer.

Le lendemain matin, A n'est toujours pas rentrée. Le mari déjeune sur la terrasse, quand survient un indigène de la plantation de Franck, qui s'est déjà présenté une fois auparavant, peut-être envoyé par

Christiane pour observer le comportement de Franck chez A ; il cherche à se renseigner : sa maîtresse est « ennuyée » que Franck ne soit pas rentré. A l'heure du déjeuner enfin, le narrateur voit, à travers les vitres déformantes de la fenêtre de la salle à manger, la voiture de Franck qui s'arrête dans la cour. A en descend, tenant à la main un petit paquet, et rien que cela. En dépit de la vivacité avec laquelle il se déplace, le mari ne parvient pas à découvrir si A a embrassé Franck avant de se tourner vers la maison ; leur attitude prête en tout cas à le croire. Franck, qui semble pressé de rentrer chez lui, joint quelques détails aux explications de A, concernant les raisons de leur retard : une panne de voiture les a obligés à passer la nuit en ville dans un hôtel. Franck semble gêné, A taquine ; il fait des allusions équivoques à ses maladresses de « mauvais mécanicien » — a-t-il déçu A ? Dorénavant, son comportement change : il aura toujours hâte de rentrer chez lui et ne viendra plus que rarement dîner.

Le ton se modifie, un apaisement progressif se fait jour, auquel contribuent même des scènes qui se situent peut-être (dans le déroulement « réel » de l'action) avant le voyage : A rentrant après avoir rendu visite à Christiane, se tenant plus ou moins immobile dans sa chambre, ou d'autres lieux. L'intrigue est, pour ainsi dire, parvenue à son aboutissement. La crise avec ses visions de violence s'est dénouée. Le flux et le reflux des réminiscences se font moins rapides, des variantes s'y glissent, qui remettent en question le sens des images, à la plus grande confusion du narrateur dont l'incertitude affecte maintenant tous les rappels de scènes antérieures et va même jusqu'à troubler la conception qu'il avait du roman africain : il finit par déchirer mentalement le volume dans un passage dont tous les termes sont en contradiction.

Mais on sent bien que c'est la présence de sa femme qui fait le plus pour le réconforter. Les phantasmes concernant sa fuite ne se sont pas réalisés. Peut-être n'y a-t-il plus aucun danger réel du côté de Franck.

La nuit tropicale peut maintenant engloutir la maison et ses habitants.

Quand le narrateur voit-il ou imagine-t-il ces scènes ? Il est impossible, et tout à la fois contraire aux intentions du romancier, d'établir son « emploi du temps ». Selon une logique très stricte, on serait amené à croire — n'y a-t-il pas, dès le début du roman, de fréquentes allusions à des événements ultérieurs ? — que tout le récit se déroule dans la *mémoire* du narrateur après la fin de l'histoire, lorsqu'il s'efforce de voir clair en lui-même. Mais cette interprétation ne rend nullement compte de l'essentiel, c'est-à-dire de cette sensation d'instantanéité que dégagent la plupart des scènes. Evidemment, il ne s'agit pas d'une chronologie exacte, mais de la restitution d'un temps intérieur. Le narrateur vit et revit dans le même moment une durée double. Des éléments passés et des éléments présents, « réels », se confondent pour lui en une durée hors du temps. La chronologie du roman présente donc de nouvelles dimensions. Le temps linéaire est disloqué pour s'intégrer à ce *continuum* nouveau où il s'altère, se dilate, se contracte en un processus dont chaque élément continue à vivre, à évoluer, à réagir sur l'ensemble des autres. Examinons les procédés grâce auxquels Robbe-Grillet est parvenu à donner une grande cohérence artistique à des scènes qui semblent dériver vers des zones littéraires neuves. Précisons d'abord que ces procédés relèvent d'une psychologie implicite exprimée par des corrélations objectives (5).

---

(5) Une déclaration de Robbe-Grillet, parue dans *Les Nouvelles littéraires* du 22 janvier 1959, m'oblige à ajouter encore un mot à propos de la tentative de rétablissement de la chronologie, à laquelle je me suis appliqué dans cette étude sur *la Jalousie*. Le romancier déclare, en effet, que « Vouloir reconstituer [...] la chronologie de *la Jalousie* est impossible, impossible parce que je l'ai voulu ainsi. » Or je n'ai aucun désir de chercher dans l'œuvre de Robbe-Grillet ce qui n'y est pas, et je crois avoir suffisamment insisté sur la qualité atemporelle de la succession des scènes. Mais il n'en est pas moins vrai que l'auteur de *la Jalousie* a obéi, en écrivant son roman, à « un

Aux tensions psychologiques qui lient les éléments structuraux du roman correspondent des tensions que l'on pourrait appeler chronologiques. En effet, ce sont les répétitions et variantes des scènes importantes, ainsi que de petites différences dans la relation du temps extérieur, qui constituent des *supports* ou corrélatifs aux variations psychologiques, voire des oppositions à ces dernières, comme en ces rappels de scène quasi identiques, auxquels sont mêlées des constatations sur le nombre de régimes coupés dans une parcelle trapézoïdale de la bananeraie, face à la maison : la première fois qu'apparaît la parcelle (p. 34), « quelques régimes y ont été coupés, déjà » ; il en va de même la seconde fois (p. 40) ; et tout semble se poursuivre normalement, si ce n'est que les scènes intercalées se trouvent brusquement déplacées dans le temps, lorsqu'on lit soudain (p. 80) que « tous les bananiers ont été récoltés » dans cette parcelle. Toutefois, lors du rappel suivant, quand le lecteur, ayant progressé dans la lecture du roman, a acquis un certain sentiment de durée, on apprend qu'« aucun régime » n'a encore été

---

plan rigoureusement prémédité », selon ses propres mots, et que ce plan possède certainement une orientation chronologique assez proche de celle que j'y relève. Il y a aussi, et je les signale à chaque fois qu'elles se présentent dans la succession des scènes, des *impasses* chronologiques, telles cette vision paroxystique de l'écrasement du mille-pattes, que le narrateur semble avoir en l'absence de sa femme, mais qui contient cependant déjà certains éléments de l'explication fournie par A à son retour. En ce sens, il est absolument vrai qu'on ne saurait rétablir une chronologie linéaire du roman, contrairement à ce qui se passe pour certaines œuvres de Huxley ou de Greene, dans lesquelles les transpositions temporelles ne s'imbriquent jamais. En revanche, il paraît impossible de bien comprendre la structure de *la Jalousie* sans situer les grandes étapes de l'intrigue : la lettre, l'épisode de la glace, le projet de voyage, le voyage lui-même, le retour, la conduite ultérieure le Franck, etc. Le génie de l'auteur consiste à transfigurer tout cela par une détemporalisation qui crée, à partir de cette histoire quasi banale, une forme romanesque toute nouvelle. Dire, d'ailleurs, que l'auteur l'a « voulu ainsi » s'applique principalement à la somme esthétique que constitue cet ouvrage, auquel on retournera après toute analyse du genre de celle tentée ici. Je ne crois donc ni viser un but impossible à atteindre, ni dévoiler des secrets dont il serait défendu de parler !

récolté dans la parcelle (p. 104), contradiction absolue qui subsiste encore vers la fin du roman : « bien que la récolte n'ait pas encore commencé dans ce secteur » (p. 183). Ces différences s'opposent d'autant plus à la reconnaissance d'une chronologie qu'il n'est précisé à aucun moment de quelle coupe il s'agit pour un fruit dont la repousse est si rapide.

De même, les changements de position des ouvriers au cours du « ballet des rondins » qu'ils effectuent en réparant un pont sur la petite rivière, au fond du vallon, jalonnent l'action de leur succession ambiguë et souvent contradictoire. Sur l'arrière-plan que constitue la progression plus ou moins linéaire de ces manœuvres se déroulent des scènes tirées d'autres périodes du temps (lire pages 103, 104, 108, 138) ; et cependant la dernière apparition des ouvriers nous les montre de nouveau sur le pont, prêts à *commencer* leur tâche (p. 176). Pour renforcer encore la tension « psycho-chronologique » ainsi produite, un thème fixe se greffe, ici et là, sur celui du pont : un indigène s'y tient accroupi, dans la posture même du personnage du calendrier accroché au mur de la chambre de A, occupé à regarder dans l'eau comme s'il cherchait quelque chose ; thème vaguement inquiétant d'une noyade possible, qui reflète sans doute un désir inexprimé du narrateur.

Les repères eux-mêmes de ce système de variations du temps forment, dans leur enchevêtrement, un réseau chronologique mobile. C'est ainsi qu'apparaissent les références à la page où est parvenue A dans sa lecture du roman africain, à la présence ou à l'absence de la tache laissée par le mille-pattes sur le mur, etc. Quelques indices temporels aident parfois à distinguer l'ordre des scènes consécutives : Franck qui part en hâte *après* le retour du voyage dépose un verre où il n'y a plus trace de glace (p. 108) ; mais quelques lignes plus loin nous lisons : « Au fond du verre qu'il a déposé [...] achève de fondre un petit morceau de glace, arrondi d'un côté [...] » (p. 109). Il s'agit évidemment dans cette dernière phrase d'une régression vers une scène antérieure, quoique dans le même paragraphe un repère différent, la disposition des rondins, semble en progression rapide sur la scène qui précède. Des termes, toujours suspects, comme « puis », « maintenant », « depuis », « encore », « à ce moment », et surtout les « mais » distribués parmi les parachronismes du récit d'une façon absolument non linéaire, donnent au rythme supposé normal des phrases des « contre-mouvements » d'une périodicité très complexe. Lorsqu'on ajoute à tout cela le rôle des scènes imaginées, rétrospectives ou futures, on souligne de nouveau la presque impossibilité où l'on se trouve de tirer complètement au clair des pensées, observations, actions et émotions promues le plus souvent au rang de visions psychiques.

Pour expliquer l'apparente incohérence de la structure de *la Jalousie,* plusieurs critiques ont cru déceler un parallèle entre la composition du récit et la description, à l'intérieur de celui-ci, d'un chant indigène. On se rappelle les éléments du chant dit « du second chauffeur » :

> [...] Il est difficile de déterminer si le chant s'est interrompu pour une raison fortuite [...] ou bien si l'air trouvait là sa fin naturelle.
>
> De même, lorsqu'il recommence, c'est aussi subit, aussi abrupt, sur des notes qui ne paraissent guère constituer un début, ni une reprise.
>
> A d'autres endroits, en revanche, quelque chose semble en train de se terminer ; tout l'indique : une retombée progressive, le calme retrouvé, le sentiment que plus rien ne reste à dire ; mais après la note qui devait être la dernière en vient une suivante, sans la moindre solution de continuité [...] puis une autre, et d'autres à la suite, et l'auditeur se croit transporté en plein cœur du poème... quand là, tout s'arrête, sans avoir prévenu (p. 100-101).

Mais un tel parallèle risque de détruire l'unité de *la Jalousie,* et constitue en réalité un contre sens quant à la vraie signification du chant. Ce chant flou n'est ambigu que parce qu'on *n'en connaît pas les règles.* De même, la succession des scènes dans l'esprit du narrateur n'est ambiguë que superficiellement ; si lui-même ne se rend pas compte de la nécessité qui relie les scènes qu'il subit, il obéit cependant, en les accueillant en tel ou tel ordre, à des règles psychologiques implicites, mais nettes. On peut dire que tout se passe en surface *comme si* régnait dans le récit une incohérence semblable à celle, présumée, du chant indigène ; mais en conclure à une psychologie « éclatée », à une série d'actions sans motivations, à une chronologie truquée, ou au désir d'aller encore plus loin que d'autres romanciers, Huxley, Joyce, Faulkner, etc., dans le bouleversement du temps, serait une grave erreur.

A peu près toutes les corrections qu'il faut apporter aux critiques sérieuses de l'œuvre de Robbe-Grillet relèvent de deux erreurs fondamentales. L'une est cette idée erronée de structures littéraires morcelées, sans causalité, que le romancier lui-même chercherait à accréditer en créant de fausses pistes comme celle du chant indigène de *la Jalousie* ; l'autre, la *déshumanisation* du roman auquel l'auteur tendrait. Nous avons vu le danger que présente une confusion possible entre cette *apparence* d'acausalité mise au service de fins artistiques et une acausalité *réelle,* en admettant que cette dernière puisse exister ; il n'est pas moins réel en ce qui concerne la prétendue déshumanisation robbegrilletienne.

Robbe-Grillet a lui-même rejeté souvent et très catégoriquement l'idée trop répandue d'après laquelle il voudrait dépersonnaliser le roman. Toute question de psychologie mise à part, la fonction, dans son art, des descriptions visuelles que les critiques ont coutume de citer comme preuves de sa froideur fondamentale est d'introduire au centre du récit un œil humain qui, loin d'exclure l'homme de l'univers, « lui donne en réalité la première place, celle de l'observateur » (6). Robbe-Grillet rejette plus énergiquement encore l'accusation de déshumanisation dans l'article « Nature, humanisme, tragédie », où il parle justement, quoique sans nommer le roman, des procédés de *la Jalousie* :

---

(6) « Cinéma et roman », n° 36-38 de *la Revue des lettres modernes,* été 1958, p. 130.

> Comment [...] un roman qui met en scène un homme et s'attache de page en page à chacun de ses pas, ne décrivant que ce qu'il fait, ce qu'il voit, ou ce qu'il imagine, pourrait-il être accusé de se détourner de l'homme ? (*Nouvelle revue française,* octobre 1958, p. 583).

La confusion qui permet à ce malentendu de subsister tient d'abord à la méconnaissance des théories de Robbe-Grillet sur la *neutralité* des objets dans le monde, et ensuite à l'attraction qu'exerce sur certains esprits modernes l'idée même de l'acausalité. Ce malentendu perce nettement dans les discussions soulevées par le rôle possible des *symboles* chez Robbe-Grillet. Cette notion de symbole, tellement usée de nos jours, que, voulant tout exprimer, elle n'exprime plus rien, est en effet une sorte de bête noire pour Robbe-Grillet. Mais les critiques comprennent mal qu'ayant dénoncé tout symbolisme il se serve, selon eux, d'un symbolisme personnel très développé : figures en forme de huit dans *le Voyeur,* mille-pattes dans *la Jalousie,* etc. La contradiction disparaît quand on examine de près les procédés littéraires de l'écrivain. En effet, s'il refuse toute signification *inhérente* aux objets et tout symbolisme mystique dans leurs correspondances cachées, il les charge cependant d'un contenu émotif, voire psychologique, qu'il analyse de façon précise :

> [L'homme] voit [les choses...] mais il refuse de se les approprier [...]. Il n'éprouve, à leur égard, ni accord ni dissentiment d'aucune sorte. Il peut [...] en faire le *support* de ses passions, comme de son regard. (*Nouvelle revue française,* octobre 1958, p. 583.)

Ainsi que j'essaie de le démontrer à l'occasion de chaque œuvre de Robbe-Grillet étudiée à l'intérieur de ce volume, c'est dans le rapport objets-sentiments établi par les personnages de cet auteur qu'il faut chercher les raisons de son prétendu refus de la psychologie, qui n'est en fait qu'un refus de l'*analyse psychologique.* Créer, au lieu d'analyser, la psychologie des personnages : voilà l'essentiel de l'art robbe-grilletien. Il apparaît comme assez ironique, en fin de compte, que ce soit en se détournant de l'art moribond de l'analyse, telle qu'elle est pratiquée sur le corps en léthargie du roman psychologique traditionnel, que cet auteur se voie accusé de froideur, d'inhumanité, de parti-pris pour le style de rédaction des catalogues de manufactures ou des actes cadastraux.

Le refus de la psychologie en littérature, cette réaction contre le courant Stendhal-Balzac-Proust, ne date pas d'hier et est encore loin d'avoir atteint son terme. On reconnaît l'influence des romans américains dits « behavioristes » sur l'« anti-psychologisme » d'un Sartre ou d'un Camus. Il est inutile de retracer tout l'historique du phénomène et d'inventorier les formes mixtes à l'intérieur desquelles une écriture objective s'associe à des monologues intérieurs pour brouiller les points de vue et la chronologie. Cette hétérogénéité de certains romans modernes, à laquelle est venue s'ajouter l'influence de Kafka, a alimenté le goût du public pour une littérature complètement irrationnelle, placée sous le signe d'une pseudo-métaphysique acausale. D'après les thuriféraires de l'acausalité — qui aimeraient peut-être s'approprier un auteur comme Robbe-Grillet dont les œuvres paraissent se prêter à leurs théories —, la prétendue signification du monde se disperse en fragments dont les rapports ne constituent que des coïncidences, des combinaisons immotivées, ou de pures juxtapositions. La simplicité ancienne de « l'anti-causalité » d'un David Hume, à la fois rigoureuse et surprenante comme un paradoxe de Zénon, s'est peu à peu muée en une complexité de pensées toute moderne. On trouve beaucoup d'échos de ces théories chez les défenseurs de Robbe-Grillet. Cependant, les rapports des objets avec les personnages, chez cet auteur, ne se rangent ni dans la catégorie des juxtapositions dépourvues de significations, ni dans celle du symbolisme concordant, ou même du symbolisme « ininterprétable » d'Auerbach. Les objets de Robbe-Grillet, tout en étant débarrassés de toutes relations mystiques avec l'âme de l'homme et replacés dans un univers neutre, deviennent, selon les propres termes de cet auteur, les supports des passions des personnages, les corrélatifs, si l'on veut, dont ces derniers ont besoin pour sentir, pour exister même : structures sensorielles audio-visuelles qui étayent les personnages et se chargent, en pénétrant dans leur champ de vision ou leur conscience, d'un potentiel psychique engendré par leur mode de vie et la situation dans laquelle ils se trouvent. L'art de Robbe-Grillet n'est donc ni un art incohérent, ni un art déshumanisé. On ne trouve chez lui ni objets totalement dépourvus de significations humaines, ni séries de coïncidences (ou « ordonnances immotivées ») juxtaposées dans un univers littéraire sans causalité.

Quand on étudie attentivement l'ensemble des scènes de *la Jalousie*, on constate qu'elles obéissent toutes à des principes très rigoureux de « liaison ». On se rappelle les différents types de « liaisons de scènes » relevés dans l'art dramatique du XVIIe siècle par des critiques comme l'abbé d'Aubignac : liaison de vue, par le truchement soit d'un personnage présent, soit d'un personnage qui en cherche un autre sur le point de sortir ou déjà sorti, quelquefois encore par l'intermédiaire d'un bruit entendu de celui qui entre... et ainsi de suite. Ce système relevait d'un besoin de continuité et de cohérence aussi caractéristique du siècle classique que le goût de l'acausalité — chez certains du moins — l'est du nôtre. Il reste d'ailleurs aux psychologues à déterminer quelque jour (ils ont tant à déterminer !) les bases psychiques de l'unité artistique, cette dernière s'accommodant de toutes les formes, y compris celle, prétendue, de « combinaisons immotivées ».

Dans *la Jalousie,* le système général de liaison de scènes est axé sur l'espace visuel du narrateur. Cette constatation évidente ne nous avance guère dans notre compréhension des structures du roman. Il importe surtout, en effet, de chercher les raisons secrètes de ces transformations de l'espace visuel, à travers lesquelles le lecteur prend dès l'abord conscience de la qualité psychologique intrinsèque de ce procédé. Le meilleur exemple en est celui, souvent cité, de la nouvelle direction que prend le regard du narrateur lorsque la jeune femme, que ce dernier est en train d'observer, lève les yeux vers lui ; mouvement qui donne toujours lieu à un rapide changement de décor visuel :

> Les boucles noires de ses cheveux se déplacent d'un mouvement souple, sur les épaules et le dos, lorsqu'elle tourne la tête.
>
> L'épaisse barre d'appui de la balustrade n'a presque plus de peinture sur le dessus. Le gris du bois apparaît [...] (p. 10-11).

On pourrait multiplier les exemples, surtout quand le narrateur, occupé à surveiller A qui se tient dans sa chambre, est contraint de détourner les yeux chaque fois que la jeune femme fait mine de regarder elle-même par les jalousies d'une fenêtre.

Ces écarts du regard, provoqués par les mouvements de tête de A, ouvrent parfois dans la continuité du récit une parenthèse sans rapport avec la durée exacte de l'action, un trou dans le temps, où tout se passe avec la rapidité du rêve, du souvenir, ou de l'imagination. Dans l'exemple cité, A vient d'entrer dans sa chambre. Elle se tourne vers la porte pour la refermer ; puis elle fait un mouvement de tête en direction du narrateur qui détourne aussitôt les yeux et, pendant les pages suivantes du récit, s'applique à définir l'orientation de la maison par rapport au décor. Mais lorsqu'il dirige de nouveau les yeux vers la chambre de A, il voit sa femme encore adossée à la porte, dans une position qui s'inscrit exactement entre celle, déjà ancienne dans le texte, où son regard l'avait laissée et le mouvement qui la porte maintenant quelques pas en avant pour s'affairer devant sa commode.

C'est souvent à l'intérieur de scènes apparemment liées par la vision du narrateur qu'interviennent les termes, déjà cités en partie, qui ont pour fonction d'introduire, tout en les masquant, de subtiles transitions non linéaires dans le temps ou l'espace. Les « maintenant », « d'ailleurs », etc., produisent presque toujours des déplacements temporels, mais les notations spatiales elles-mêmes, comme les « à gauche », « à proximité », « à la même distance, mais dans une direction perpendiculaire », renvoient le lecteur non seulement à un autre secteur de l'espace, mais aussi à une autre période du temps. Ces termes et ces phrases rendent exactement compte des chocs intérieurs provoqués chez le narrateur par ses revirements psychologiques. Signalons un détail intéressant pour l'étude de la technique du roman : tous les changements de scène sont amorcés en début de paragraphe, à l'exception peut-être de ce « fondu enchaîné » où le regard du mari passe d'une terrasse de café à la photo de A, puis à la terrasse réelle de la maison (p. 126).

Par delà les liaisons spatiales et les déplacements du champ visuel, il convient aussi de rechercher les principes qui gouvernent les mouvements dans le temps, ces retours, ces cycles qui paraissent imbriqués dans le présent, tout en empiétant sur le futur. Pour comprendre ce qu'on pourrait appeler les liaisons temporelles, il faut s'insérer dans l'être du narrateur, car elles sont encore plus dépendantes de sa personnalité que le jeu de son regard ou de ses gestes sur la terrasse, dans le couloir, derrière les jalousies de son bureau, dans la chambre de sa femme, etc.

Il s'agit moins de trouver dans la personnalité du narrateur une clef du roman, que de se laisser porter par le texte de façon à endosser cette personnalité, à accepter visions et actes comme venant de nous-mêmes. Il est concevable que d'aucuns soient réellement empêchés, de par leur conditionnement psychique, de « succomber » au fonctionnement d'un roman tel que *la Jalousie* : ceux qui, rompus à la lecture des romans analytiques, demandent toujours à l'auteur de leur expliquer, en termes clairs de la psychologie du jour, ce que *sont* les personnages, refuseront peut-être de « subir » l'expérience du mari jaloux. Ils ne cesseront de réclamer des explications, des commentaires, des éclaircissements. Pour eux, le roman ne « fonctionnera » que dans une très faible mesure, ou pas du tout.

La preuve en est dans l'absurdité des réserves que l'on a souvent faites à l'égard du narrateur de *la Jalousie* : on lui dénie toute vraisemblance ; on lui reproche surtout la minutie de ses décomptes de bananiers —

n'est-il pas logique, pourtant, que cet homme hypertendu reporte sur son domaine cette même attention exagérée dont il fait preuve par ailleurs ? — ; on voit en lui une sorte de monstre, plutôt qu'un personnage, et on tient grief à son créateur de ne le laisser ni agir, ni participer à sa propre histoire ; on argue qu'il n'apparaît jamais, qu'il ne prend jamais la parole et que, s'il se décidait enfin à le faire, son discours ressemblerait beaucoup à celui du « monstre protéiforme » que Beckett met en scène dans *l'Innommable*.

Or, rien n'est plus inexact que de prétendre que ce narrateur jaloux « ne se déclare jamais » : tout le livre constitue un aveu. Qui plus est, cet homme parle, mais sans jamais se citer — n'est-ce pas ainsi que se présentent souvent nos propres paroles, lorsque nous nous remémorons quelque événement auquel nous avons participé ? Il parle à plusieurs reprises et tout laisse supposer que son discours, parfaitement conventionnel, ne ressemble en rien au chaos verbal beckettien. Voici le narrateur « parlant » à sa femme, à table :

> Pour plus de sûreté encore, il suffit de lui demander si elle ne trouve pas que le cuisinier sale trop la soupe.
> « Mais non, répond-elle, il faut manger du sel pour ne pas transpirer » (p. 24).

Lors de l'épisode de la glace, le narrateur interroge le boy, nous lisons :

> A une question peu précise concernant le moment où il a reçu cet ordre, il répond « Maintenant », ce qui ne fournit aucune indication satisfaisante (p. 50).

Quand A revient de son voyage avec Franck, elle « s'enquiert des événements survenus à la plantation » ; la réponse du narrateur est rapportée sous la forme d'un discours indirect libre : « il n'y a d'ailleurs rien de neuf ». Le même procédé est employé pour les questions qu'il pose ensuite :

> Elle-même, interrogée sur les nouvelles qu'elle rapporte, se limite à quatre ou cinq informations [...] (p. 95).

Sans doute montre-t-il beaucoup de réticence à livrer ce qui le concerne personnellement, tant ses paroles que ses actions, disons plutôt son « inaction » face aux soupçons qui l'assaillent. Mais loin de se comporter comme un monstre tenu en laisse, il obéit très probablement à une timidité foncière qui incite à diagnostiquer, chez lui, une impuissance sexuelle psychique, accompagnée de la peur que sa femme ne l'abandonne. Seul ce schéma psychologique semble en mesure de rendre compte exactement de son complexe. Timidité et impuissance psychique ; crainte de l'agressivité d'un Franck qui saurait peut-être même triompher d'une frigidité possible de A, non sans rapport avec l'état du mari ; peur constante d'une fuite de la jeune femme ; hyperesthésie du regard : ainsi disséqué, le narrateur présente un cas classique de troubles psycho-sexuels, et devient un type humain par trop « vraisemblable ».

Mais armés maintenant, pour suivre les liaisons de scène, de cette « hypothèse de travail » que nous avons fabriquée en « psychanalysant », en quelque sorte, le narrateur, nous pouvons aborder de nouveau le problème des structures. Bien que ce soit le sens de la vue qui domine dans *la Jalousie* — l'auteur a d'ailleurs beaucoup parlé de la primauté du « visuel » dans l'univers romanesque qu'il préconise —, il faut signaler un certain nombre de liaisons effectuées par le truchement de sons qui donnent lieu à des rapprochements, des correspondances et des transformations. Quelques bons exemples en seraient le sifflement de la lampe à essence, le ronronnement des camions sur la route tandis que le narrateur attend A et, au plus fort de sa crise, cette association caractéristique qu'il fait entre le bruit de la brosse dans les cheveux de A, l'espèce de grésillement émis par les appendices buccaux du mille-pattes et le crépitement de flammes imaginées par lui, dans lesquelles s'engloutiraient A et Franck.

On pourrait interpréter l'une de ces transitions « auditives » de la façon suivante : au début, le narrateur se reporte à la période antérieure au départ de A avec Franck, où sa femme lisait encore le roman africain — ce qui représente déjà, d'ailleurs, une régression par rapport à la scène précédente, nettement postérieure, elle, au retour de ce voyage. Voici le passage :

> Elle cherche l'endroit où sa lecture a été interrompue par l'arrivée de Franck, au premier quart de l'histoire environ. Mais, ayant retrouvé la page, elle pose le volume ouvert, à l'envers, sur ses genoux, et demeure sans rien faire, le dos appuyé en arrière contre les sangles de cuir.
>
> De l'autre côté de la maison, on entend un camion qui descend la grand-route, vers le bas de la vallée, la plaine et le port — où le navire est amarré le long du wharf.
>
> La terrasse est vide, toute la maison aussi [...]
>
> Ce n'est pas le bruit d'un camion que l'on entend, mais bien celui d'une conduite intérieure, en train de descendre le chemin depuis la grand-route, vers la maison.
>
> Dans le battant gauche, ouvert, de la première fenêtre de la salle à manger, au centre du carreau médian, l'image réfléchie de la voiture bleue qui vient de s'arrêter au milieu de la cour. A [..] et Franck en descendent en même temps [...] (p. 202-203).

L'attitude initiale de A dans ce passage reflète la même indépendance teintée d'impatience et d'une touche de bovarysme qu'en beaucoup d'autres scènes antérieures, et peut-être même postérieures au projet de voyage avec Franck. Ne désire-t-elle pas s'évader ? Le bruit du camion renforce encore cette peur d'une fuite de A, que le narrateur se représente alors « via » le port — où se rend le camion —, puis le bateau qui fait escale en ce port (allusion à l'image du calendrier). Du phantasme de fuite, le mari passe à la période d'absence « réelle » de sa femme (toute la maison est vide). Puis, le bruit dominant qui relie ces plans le conduit à la scène du retour de Franck et de A, scène à laquelle il revient constamment pour tâcher d'en extraire les éléments qui confirmeraient ou nuanceraient ses soupçons.

Rien de plus humain, sinon logique, que cette progression fluide dans le temps. Contrairement aux opinions de certains critiques, Robbe-Grillet ne cherche nullement, dans de tels passages, à brouiller le temps mais plutôt, pourrait-on dire, à le débrouiller, en ce sens qu'il tente d'en exprimer jusqu'à la plus petite possibilité de rapports émotifs. Revenir, dans son intimité, sur les moindres détails d'une expérience vitale, replacer ces éléments dans tous les contextes possibles, les examiner sous tous les angles, les faire revivre de multiples façons, les grossir de faits imaginaires, ou les réduire à de simples schémas sont bien des procédés que l'on peut attendre d'un jaloux. Tout, dans ce livre souvent mal compris, est d'une parfaite vraisemblance.

L'art de la liaison des scènes dans *la Jalousie* n'atteint nulle part de plus subtils développements que dans la cinquième partie (pages 99-122) composée de reprises et de renforcements des thèmes du roman, en prévision des grandes scènes de l'absence de A et de la crise de jalousie du narrateur. Cette cinquième partie débute par le chant « indigène » du second chauffeur — lui-même susceptible d'entretenir des rapports sexuels avec A —, qui constituerait un raccourci ou abrégé de la structure du roman et schématiserait la forme des rappels de scènes à venir. Puis A, dans sa chambre, écrit une lettre (commencement de l'histoire) ; elle semble pensive, hésitante devant les quelques lignes déjà tracées ; elle tourne la tête vers la fenêtre ; le mari porte aussitôt les yeux sur les ouvriers qui travaillent au pont de rondins (repère mobile dans le temps), puis les reporte sur A qui écrit. Elle se lève et va vers la fenêtre, contraignant une seconde fois son mari à détourner les yeux pour les fixer, au-delà du pont, sur la parcelle de bananeraie en forme de trapèze, dont le nombre de régimes varie d'une fois sur l'autre, comme nous l'avons signalé, de façon à libérer du déroulement « littéral » du temps un moment donné de l'action. Accommodant à moindre distance, le narrateur remarque maintenant que les indigènes, eux, regardent vers la maison ; il « ose » en faire autant et voit A qui tient la lettre devant elle. Alors intervient dans le texte de cette partie V la première transition anti-chronologique qui pourrait paraître arbitraire ou déconcertante : on apprend soudain (p. 105) que Franck est assis dans son fauteuil sur la terrasse, et que A est allée chercher les boissons.

Nous sommes, en effet, ramenés à l'épisode de la glace, sous forme d'un résumé cette fois, sauf en ce qui concerne l'apparition dans la poche de Franck (au retour du narrateur qui est allé chercher la glace) d'une lettre écrite sur ce même papier bleu pâle, dont se servait A dans sa chambre. Ce détail nouveau fait progresser au présent — mais un présent « psychologique » — une scène déjà vécue. Evidemment, le mari s'explique maintenant, en la réexaminant dans sa mémoire, une étape des relations entre A et Franck, dans laquelle il découvre des indices de plus en plus nets de trahison. Il se pose, à ce moment seulement, des questions indirectes, qui sont autant d'« additifs » à la première version de cette scène, dans la partie II : pourquoi le boy n'avait-il pas apporté la glace — « Lui aurait-elle donc dit de ne pas l'apporter ? C'est la première fois, de toute manière, qu'elle ne se serait pas fait comprendre... » —. Toute cette reprise de la scène doit donc s'entendre comme une réponse à la question que le mari se pose en voyant, dans sa mémoire, A en train d'écrire une lettre : quand a-t-elle pu transmettre cette lettre à Franck ?

C'est maintenant à l'intérieur même de cette scène, entièrement revécue par la mémoire du narrateur, que A se met à dévisager ce dernier. Il ne peut s'empêcher de porter de nouveau les yeux vers le pont de rondins : la disposition des hommes et des bois a changé — dans cette partie, toutes les visions du narrateur ont pour contrepoids extérieur les manœuvres autour du pont. Encore une fois, le regard du mari est ramené vers la maison par celui des ouvriers ; mais nous enchaînons sur la scène du départ brusqué de Franck, au retour de son voyage avec A. Posant son verre vide, même de glace, il s'en va en s'excusant d'être « un si mauvais mécanicien » (mot dont le sens érotique se développera plus tard chez le narrateur). Mais aussitôt, nous lisons qu'au fond du verre, que Franck vient de déposer, il reste encore un petit morceau de glace d'une forme précise. C'est le retour à l'autre scène, à l'épisode de la glace, d'où date, pour le mari, la collusion entre A et Franck.

Une force psychologique commence alors à fausser la reconstitution des scènes entre A et Franck, que le mari opère dans sa mémoire, comme s'il en projetait les épisodes sur un écran intérieur dont le texte nous restituerait les images. Franck et A, dans les fauteuils, « ont échangé leurs places » ; des éléments, comme les rondins du pont, ont bougé, se sont transformés. Par association avec le mot « mécanicien », sans doute, des actions anciennes repassent, mais mécanisées : le boy marche d'un pas « mécanique » ; les gestes de Franck (vu à table maintenant) deviennent « démesurés », avec des « déformations rythmées ». Tous ces rappels brefs nous entraînent vers une nouvelle version de la scène de l'écrasement du mille-pattes. D'un pas « de plus en plus saccadé », le boy sort de la salle à manger « remuant bras et jambes en cadence », comme « une mécanique au réglage grossier » (p. 112).

Bien que cette reprise de la scène de l'écrasement contienne, comme à chaque fois, des détails nouveaux, c'est toujours la lettre qui en constitue l'élément principal. Franck essaie de la faire entrer « d'un mouvement machinal » dans sa poche, dont elle persiste à sortir ; elle est en définitive, après d'autres manipulations, « pliée en huit » et se couvre même « d'une écriture fine et serrée ».

Le tourment du mari donne lieu à une véritable *strette* de transitions chronologiques. De la poche de Franck, vue le soir à table lors de l'écrasement du myriapode, le narrateur passe (p. 114) à la manche de chemise kaki de ce dernier, à la cruche située en arrière, aux lampes *éteintes*, et débouche en plein jour, car c'est maintenant d'un déjeuner qu'il s'agit, et Franck est en train de parler de sa voiture qui est tout naturellement « amenée dans la vitre » de la salle à manger par la conversation ; mais lorsque le narrateur la regarde, il voit Franck au volant, A qui descend, et il mêle alors deux scènes ayant pour accessoire commun cette voiture dont A sort, chargée d'un petit paquet, au retour de son voyage avec Franck, dont elle descend seule au retour d'une visite qu'elle a rendue à Christiane — était-ce pour voir Franck ?

Vient ensuite un tourbillon d'images rétrospectives de la jeune femme : A écoutant le chant indigène ; se contemplant, ennuyée ou impatiente, dans son miroir ; se peignant ; plongeant dans ses cheveux ses doigts « effilés » (mot érotique, associé aussi au mille-pattes, générateur à la page 120 d'une vision nettement érotique, mais imaginaire, de A sur son lit) ; écrivant la lettre — cette lettre qui, d'un bout à l'autre de la cinquième partie, tient lieu de fil conducteur à toutes les réminiscences du mari, jusqu'à la scène dernière de la disparition de A dans un secteur de la chambre invisible de l'extérieur, scène illustrant la hantise d'une fuite possible de la jeune femme, intimement liée chez le mari à son complexe de jalousie.

Il est évident, donc, que de façon générale c'est la tension psychologique tacite du narrateur qui constitue le principe même de base de toutes les liaisons de scènes du roman. Sur le plan de la technique romanesque, nous avons distingué des transitions qui vont de la simple association d'idées (par exemple, la robe de A rappelle au narrateur une conversation la concernant) aux combinaisons les plus subtiles : liaisons plus ou moins réversibles dans le temps, fondées sur la vue, l'ouïe, les déplacements du narrateur, ou bien sur des adverbes de temps ambigus, etc. On pourrait y ajouter des associations de phrases (« pas de chance », « savoir la prendre », « il faut un commencement à tout », « mauvais mécanicien », etc.), d'objets ou de dessins, telles les hachures du couloir avec les rides de la rivière, et d'objets ou d'endroits liés à une scène, comme la vitre de la salle à manger qui amène la scène du retour de A dans la voiture de Franck.

Dans la composition de ces liaisons, on trouve souvent un paragraphe partagé entre deux scènes. Par exemple, Franck et A parlent de leur projet de voyage (p. 81), puis du roman africain (p. 82-83), objet de diverses spéculations quant à son dénouement éventuel.

La phrase « ils boivent à petites gorgées » (façon de boire très agaçante, dirait-on, pour le mari qui y décèle une lenteur complice) revient à plusieurs reprises. Le passage continue ainsi :

> Ils boivent à petites gorgées. Dans les trois verres, les morceaux de glace ont maintenant tout à fait disparu. Franck examine ce qui reste de liquide doré, au fond du sien. Il l'incline d'un côté, puis de l'autre, s'amusant à détacher les petites bulles collées aux parois.
>
> « Pourtant, dit-il, ça avait très bien commencé. » Il se tourne vers A pour la prendre à témoin. « Nous étions partis à l'heure prévue et nous avons roulé sans accident. Il était à peine dix heures quand nous sommes arrivés en ville » (p. 83-84).

Le premier des deux paragraphes de cette citation pourrait se rattacher à la scène du projet ou de l'entretien à propos du roman, ou encore à celle, tout à fait postérieure, du retour du voyage, à laquelle le narrateur passe directement par un simple changement de temps.

Mais le dépaysement est encore plus total lorsqu'au cours des diverses opérations entreprises par le mari pour effacer toute trace du mille-pattes, à l'aide d'une gomme, d'une lame de rasoir, puis de nouveau d'une gomme, le mur se transforme soudain en la feuille de papier bleu remarquée sur la table de travail de A, à un moment où cette dernière se livrait à une activité « douteuse », telle que gommer un mot de la lettre présumée à Franck. L'ambiguïté du texte s'étend à deux ou trois paragraphes mixtes. En voici quelques étapes :

> Le tracé grêle [...] s'en va tout de suite. La plus grande partie du corps [...] courbé en un point d'interrogation [...] ne tarde guère à s'effacer aussi, totalement. Mais la tête et les premiers anneaux nécessitent un travail plus poussé [...]. La gomme dure qui passe et repasse au même point n'y change plus grand-chose, maintenant.
>
> Une opération complémentaire s'impose : gratter, très légèrement, avec le coin d'une lame de rasoir mécanique [...]. Un nouveau ponçage à la gomme termine ensuite l'ouvrage avec facilité.
>
> La trace suspecte a disparu complètement. Il ne subsiste à sa place qu'une zone plus claire, aux bords estompés, sans dépression sensible, qui peut passer pour un défaut insignifiant de la surface, à la rigueur.

> Le papier se trouve aminci néanmoins ; il est devenu plus translucide, inégal, un peu pelucheux. La même lame de rasoir, arquée entre deux doigts pour présenter le milieu de son tranchant, sert encore à couper au ras les barbes soulevées par la gomme. Le plat d'un ongle enfin lisse les dernières aspérités.
>
> En pleine lumière, une inspection attentive de la feuille bleu pâle révèle que deux courtes fractions de jambages ont résisté à tout, correspondant sans doute à des pleins trop appuyés de l'écriture [...] (p. 130-132).

Et le passage continue de la même façon fluide : la gomme conduit au bureau du narrateur, où la photo de A prise sur une terrasse déclenche une vision de la jeune femme et de sa chevelure, qui ramène à la scène où elle exécute, devant sa table de travail, des mouvements que le narrateur assimile à un remmaillage de bas, un polissage d'ongles, le tracé d'un dessin au crayon ou, plus probablement, le gommage d'un mot « mal choisi » sur une lettre. Le mari n'est d'ailleurs pas sans prêter un aspect érotique à ce mouvement, qu'il agrémente de « convulsions » aboutissant même à un « dernier spasme beaucoup plus bas ». Tout lui apparaît sous le double signe de l'érotisme et de la jalousie.

Dans toute l'histoire de la littérature romanesque, *la Jalousie* est sans doute l'ouvrage qui contient le plus de répétitions de scènes, ou d'éléments de scènes. Mais Robbe-Grillet les a ménagées avec un si grand art qu'elles ne perdent jamais leur pouvoir. Elles évoluent, se transforment, s'étoffent ou s'amenuisent au rythme des nécessités intérieures du narrateur. Sans ces répétitions, le roman ne saurait exister : c'est en elles, et par elles, que l'ouvrage trouve son *tempo* et sa forme.

Répétitions de scènes apparemment anodines : A assise dans le fauteuil avec son livre, mais en train de rêver, peut-être déjà, d'infidélité, de départ ; A se brossant les cheveux (on sait quel fétiche érotique représente la chevelure !) ; A se promenant dans la chambre, qui deviendra peu à peu un lieu sacré, etc. Répétitions, avec variantes, d'éléments du décor : le pont de rondins, la pièce de la bananeraie en forme de trapèze, l'ombre des piliers sur la terrasse. Le narrateur a besoin de réexaminer, retourner, modifier tout ce qui appartient aux scènes importantes.

On a déjà vu, dans les métamorphoses subies par la lettre et les scènes liées à celle-ci (cinquième partie), la manière dont les objets associés à la jalousie du mari se modifient à chacune de leurs réapparitions : le roman africain, le calendrier des postes, etc.

Mais c'est sur le mille-pattes que se concentre l'intérêt.

D'abord, en tant que tache, le dessin laissé sur le mur par la bête écrasée entre dans le jeu très subtil, comparable à celui du test de Rorschacht si l'on veut, des autres taches dans lesquelles le mari semble trouver des supports à ses sentiments. Il y a la tache d'huile laissée dans la cour par une voiture, peut-être celle de Franck, la tache rouge foncé — qui pourrait être du sang — au-dessous de la fenêtre de A, les taches de peinture sur la balustrade que A veut faire repeindre, la tache sur la nappe, à la place de Franck, et même la tache que fait l'image rétinienne de A, projetée sur la maison et le ciel par le narrateur qui a observé trop longtemps la jeune femme à la lumière brillante de la lampe à essence. C'est toujours une tache à enlever, car elle représente pour le mari celle, haïssable, de l'infidélité ; d'où les scènes de gommage déjà analysées, l'absorption de la tache d'huile par un défaut de la vitre, etc. Mais le narrateur ne réussit pas plus à effacer les taches que la pensée de la trahison de sa femme, pas plus à supprimer la trace du mille-pattes qu'à échapper à la scène de son écrasement, dont il fait le noyau même de son complexe, l'image de rapports sexuels possible entre Franck et sa femme.

La suite des scènes concernant le mille-pattes progresse selon un ordre qui illustre de façon très convaincante lc principe de l'emploi de la chronologie dans le le développement psychologique d'un épisode sans repère fixe dans le temps « réel ». A sa première apparition, c'est

> une tache noirâtre [qui] marque l'emplacement du mille-pattes écrasé la semaine dernière, au début du mois, le mois précédent, peut-être, ou plus tard (p. 27).

Donc la localisation de cette tache dans le temps se révèle, dès le début, imprécise, fluide. Une notation peu perceptible intervient ensuite à propos de la peinture claire de la cloison de la salle à manger, qui « porte encore la trace du mille-pattes écrasé » — seul le mot « encore » laisse percer un certain trouble. La fois suivante, la tache est orientée par rapport à A assise à sa table. Dans le paragraphe qui vient après, apparaît la première description détaillée de la tache, mais déjà l'heure a changé : il fait jour, maintenant, et le couvert n'est pas encore mis. Avec cette description détaillée commence le transfert de la tache, sa métamorphose en une sorte d'équivalent concret de l'émoi du mari. Masqués par la précision « objectale » du style, les mots chargés de nuances psychiques font leur apparition : « doute », « origine », « des restes plus flous » ; bientôt se dessine la forme générale de la tache, qui est celle d'un point d'interrogation. Mais ce ne sont encore, évidemment, que des touches préparatoires très subtiles.

C'est seulement lorsque la tache est établie et décrite que nous passons à la première version de la scène de l'écrasement du mille-pattes. L'action se situe, cette première fois, pendant la scène où Franck et A mentionnent, pour la première fois aussi, leur projet de voyage commun à la côte. Rien ne prouve, bien entendu, que les deux scènes soient simultanées dans le déroulement réel du temps. Il paraît plus probable que l'écrasement est antérieur au projet de voyage. En tout cas, c'est ce projet qui amène le récit de l'écrasement : une version assez calme, objective, de la scène, mais qui annonce les développements futurs. On note surtout le début des manifestations érotiques chez A : la bouche entr'ouverte et tremblante, la respiration accélérée, la main aux doigts effilés, crispée sur le manche du couteau, le regard fixé sur le point d'interrogation qui tache le mur. Cependant, le mille-pattes nous est présenté comme une bestiole de « taille moyenne » et rien, ou presque rien, dans la conduite de Franck — qui se lève, après avoir regardé A, pour écraser l'animal — ne permet de supposer que Franck décharge dans cet acte une agressivité sexuelle, si ce n'est le fait même que c'est lui, et non le mari (ce dernier ne souffre-t-il pas d'un complexe d'infériorité typique chez le jaloux ?), qui joue le rôle mâle du protecteur écrasant la bête dont s'effraie la femme — mais ne fait-elle que s'en effrayer ?

Les liens entre le mille-pattes et les relations possibles de Franck et de A se resserrent dès la première version de la scène du retour de A, lorsque celle-ci donne des explications sur les événements survenus en ville :

> A veut essayer encore quelques paroles. Elle ne décrit pas néanmoins la chambre où elle a passé la nuit, sujet peu intéressant, dit-elle en détournant la tête : tout le monde connaît cet hôtel, son inconfort et ses moustiquaires rapiécées.
>
> C'est à ce moment qu'elle aperçoit la scutigère, sur la cloison nue en face d'elle. D'une voix contenue, comme pour ne pas effrayer la bête, elle dit :
>
> « Un mille-pattes ! »
>
> Franck relève les yeux [... etc.] (p. 96-97).

A faisant ces quelques remarques, relevées au premier paragraphe, lors d'un dîner où elle est seule avec son mari, nous pouvons juger de la violence, en quelque sorte réflexe, avec laquelle cette simple allusion à l'hôtel et à ses moustiquaires renvoie le narrateur à la scène antérieure du mille-pattes. Mais cette fois, lorsque Franck écrase la bestiole avec sa serviette, c'est sur la « nappe blanche » que se crispe la main de A, et la phrase « revient s'asseoir » apparaît dans le texte.

Ensuite, la scène se continue par les rappels d'actions « mécanisées », déjà étudiés ; un bref résumé d'un paragraphe, concernant l'écrasement même, est suivi d'un développement à propos de la main crispée de A crispée cette fois sur la « toile blanche », qui se plisse en sillons profonds au long desquels nous sommes conduits à la place du couvert de Franck ; là, une autre tache s'allonge en direction de la main de ce dernier, qui remonte vers la poche de la chemise, pour tenter d'y enfoncer la lettre, objet principal des préoccupations du mari en cette partie du récit (nous sommes à la section V).

Plus loin, le mari s'applique à faire coïncider avec un défaut de la vitre la tache noire laissée sur le sol de la cour par de l'huile de graissage. Cette tentative d'escamotage ramène à la tache laissée sur le mur par le mille-pattes, puis à la présence même de la bête. Suit alors une mort sans exécutant. L'action habituelle se déroule, mais sans le concours de personne :

> [...] la bestiole choit sur le carrelage, se tordant encore à demi et crispant par degrés ses longues pattes, tandis que les mâchoires s'ouvrent et se ferment à toute vitesse autour de la bouche, à vide, dans un tremblement réflexe.
>
> Dix secondes plus tard, tout cela n'est plus qu'une bouillie rousse, où se mêlent des débris d'articles, méconnaissables.
>
> Mais sur le mur nu, au contraire, l'image de la scutigère écrasée se distingue parfaitement [...] (p. 128-129).

C'est alors, qu'ayant escamoté Franck de la scène, le mari s'emploie à gommer la trace du scolopendre par une suite de manœuvres, déjà commentée précédemment en ce volume ; cet effort ne le mène, d'ailleurs, qu'à une vision persistante de A en train d'écrire la lettre suspecte. La liaison entre la tache sur la nappe devant Franck et celle du mille-pattes est réindiquée plus loin, quand le thème du doute revient, avec des « peut-être », des « presque », des « pas faciles à localiser avec certitude », etc. Un rapport s'établit entre le mille-pattes et le crabe de terre servi au dîner que le narrateur prend seul, lors de l'absence de A ; rapport qui s'étend au son émis par les appendices buccaux des deux animaux, ce grésillement qui deviendra celui du peigne dans les cheveux de A.

Le thème du mille-pattes est poussé à son point culminant dans la grande scène qui forme le centre de la partie VII et, on peut le dire, du roman lui-même. Seul dans la maison vide, où il attend le retour de A, le protagoniste subit successivement toutes les atteintes d'un cas classique de troubles psychiques, hallucination, obsession, transfert dans la réalité des phantasmes engendrés par une imagination fébrile. Il libère sa jalousie en une vision qui contient et exprime à la fois son complexe d'infériorité, sa peur de l'agressivité, sa certitude refoulée que sa femme le trompe avec un amant doué de cette brutalité mâle, qu'il souhaite sans doute inconsciemment posséder. Après s'être «dit» sous forme de plusieurs phrases de discours indirect, que A « devrait être de retour depuis longtemps », après avoir rôdé dans la maison vide, attendu sur la terrasse à la lumière de la lampe à essence — dans un tournoiement d'insectes qui constitue, comme on l'a déjà vu, un support visible au désarroi de ses sentiments —, après avoir contemplé d'une façon morbide le calendrier sur le mur de la chambre de sa femme, et déchargé sur un personnage de l'image sa haine de Franck et son désir de lui nuire, le narrateur pénètre dans la salle à manger.

Là, une fois de plus, il retrouve le mille-pattes. Non plus celui de « taille moyenne », long à peu près comme le doigt, de la première version de la scène, mais un animal

> gigantesque : un des plus gros qui puissent se rencontrer sous ces climats. Ses antennes allongées, ses pattes immenses étalées autour du corps, il couvre presque la surface d'une assiette [...] (p. 163).

Le mari est parvenu maintenant au point extrême de son bouleversement ; voici la vision « catathymique » qu'il a du mille-pattes et du flagrant délit des amants :

> Franck, sans dire un mot, se relève, prend sa serviette ; il la roule en bouchon, tout en s'approchant à pas feutrés, écrase la bête contre le mur. Puis, avec le pied, il écrase la bête sur le plancher de la chambre.
>
> Ensuite il revient vers le lit et remet au passage la serviette de toilette sur la tige métallique, près du lavabo.
>
> La main aux phalanges effilées s'est crispée sur le drap blanc. Les cinq doigts écartés se sont refermés sur eux-mêmes avec tant de force qu'ils ont entraîné la toile avec eux ; celle-ci demeure plissée de cinq faisceaux de sillons convergents. [...] Mais la moustiquaire retombe autour du lit, interposant le voile opaque de ses mailles innombrables [...] (p. 165-166).

Si cette vision semble dépasser le cadre des correspondances objectives, ou celui des supports extérieurs de sentiments, c'est sans doute qu'elle relève, ou peu s'en faut, de cette hystérie psycho-pathologique qui transforme un souvenir en un cauchemar de soupçons et de craintes, réprimés d'abord, projetés ensuite sur le monde réel.

De la crainte à la réalité, il faut que le jaloux passe à l'agressivité. Si c'est un timide congénital, un refoulé souffrant même d'impuissance psychique, comme l'est vraisemblablement le narrateur de *la Jalousie,* il se contentera, malgré sa haine, d'actions imaginaires, de visions passives, à peine conscientes même de leur sens, ou du but véritable auquel elles tendent.

C'est principalement à ce sujet que les critiques, qui ont accusé l'auteur de ne pas autoriser le mari à *participer* à sa propre histoire, sont passés totalement à côté de la signification du texte. Voyons, par exemple, les mots ambigus sous le couvert desquels le mari se représente le comportement amoureux de Franck avec A :

> Dans sa hâte d'arriver au but, Franck accélère encore l'allure. Les cahots deviennent plus violents. Il continue néanmoins d'accélérer (p. 166).

Ces mots abstraits s'appliquent en premier lieu au comportement imaginaire des amants, par analogie avec la phrase précédente qui traite du lit d'hôtel, en second lieu aux circonstances, imaginaires aussi, de leur destruction, par analogie cette fois avec la phrase suivante, au contact de laquelle ils se concrétisent, d'ailleurs, en quelque sorte :

> Il n'a pas vu, dans la nuit, le trou qui coupe la moitié de la piste. La voiture fait un saut, une embardée [...]. Sur cette chaussée défectueuse le conducteur ne peut redresser à temps. La conduite intérieure bleue va s'écraser, sur le bas-côté, contre un arbre au feuillage rigide qui tremble à peine sous le choc, malgré sa violence.
>
> Aussitôt des flammes jaillissent. Toute la brousse en est illuminée, dans le crépitement de l'incendie que se propage. C'est le bruit que fait le mille-pattes, de nouveau immobile sur le mur, en plein milieu du panneau.

A le mieux écouter, ce bruit tient du souffle autant que du crépitement : la brosse maintenant descend à son tour le long de la chevelure défaite [...] (p. 166-167).

Maintenant que « l'action intérieure » du mari a atteint son point culminant de développement, le rythme des images retombe. Bientôt, le narrateur se livre à une fouille méthodique des tiroirs et des effets personnels de A : une des rares actions réelles que se permette cet homme obsédé par la crainte d'une fuite éventuelle de sa femme, qu'il redoute avant tout de provoquer par des reproches ou une action directe. Fouille sans résultat, d'ailleurs, puisqu'il ne trouve pas la preuve, qu'il recherche, de l'infidélité de A. Peu importe, une présomption d'infidélité constitue une base suffisante de jalousie pour le narrateur.

Le texte contient une ultime référence à la tache laissée par le mille-pattes : beaucoup plus « tard », lorsque survient l'apaisement, le mari évoque une dernière fois le souvenir de A assise à table, « le regard arrêté sur les restes brunâtres du mille-pattes écrasé, qui marquent la peinture nue devant elle ». La tache rentre dans le système des points de repère, comme l'ombre du pilier, la coupe des bananiers, les rondins du pont. L'extraordinaire expansion psychologique qu'ont donnée à cet épisode des développements puissants au travers de dimensions romanesques nouvelles, prend fin ici.

La Jalousie représente-t-il dans l'histoire du roman moderne une étape, un modèle, un échec ou un chef-d'œuvre ? Toutes les conjectures sont permises. Le plus important est que ce livre mène quelque part soit son auteur lui-même, dans ses futurs romans, soit d'autres romanciers d'aujourd'hui et de demain. A quelles suites imprévues, à quelle lignée de métamorphoses romanesques les structures subtiles et enchevêtrées de *la Jalousie* donneront-elles le jour ? Voilà ce qu'est un chef-d'œuvre : tout à la fois une fin et un commencement.

CHAPITRE V

LE DÉDALE DE LA CRÉATION ROMANESQUE : *DANS LE LABYRINTHE* (1959)

> « Dans le labyrinthe nous trouverons la voie droite. »
>
> Henri Michaux.

La publication de *Dans le Labyrinthe* en 1959 sembla marquer sinon une crise, du moins un revirement, une métamorphose de l'œuvre de Robbe-Grillet. Poursuivant depuis longtemps un idéal de « roman sans romanesque », l'écrivain avait néanmoins donné à lire trois romans où, sous les fameuses « surfaces » énoncées dans sa doctrine, le romanesque persiste, revêtant une présence aussi « têtue » que celle dont sa métaphysique, ou plutôt son absence de métaphysique, doue les choses et les objets. Il y recourt en effet à des formules reconnaissables, voire familières, de la construction traditionnelle : *les Gommes* redonnent vie à un mythe, *le Voyeur* nous fait entrer dans les visions d'un sadique, *la Jalousie* dans l'obsession d'une mémoire, qui, torturée de désir et de crainte, brouille l'espace et le temps. De fortes motivations psychologiques y attirent vers ce monde tragique que Robbe-Grillet semble pourtant vouloir à tout prix éviter. Car toutes ses théories préconisaient une écriture « détachée », « nettoyée », où, comme dans le *Livre sur rien* projeté par Flaubert, l'art des articulations, des structures, du *faire,* créerait, incarnant l'œuvre, une fiction très pure dont la valeur et la beauté seraient, à la limite, *inhérentes*.

Le curieux avant-propos du *Labyrinthe*, avec son insistance sur la « réalité strictement matérielle » des « choses, gestes, paroles, événements », avec son refus de toute « valeur allégorique », reprend, semble-t-il, toutes ces théories sans y rien changer. Mais, comme à la sortie des labyrinthes de foire dont parle le texte de la quatrième page de couverture (rédigé, lui aussi, par Robbe-Grillet), il y a un trou, un passage dirigé vers l'extérieur, une possibilité de fuite. L'écrivain provoque une fêlure dans son univers à l'étanchéité absolue, fermé à toute signification venue du dehors. Il invite le lecteur à ne découvrir, dans le récit, « ni plus ni moins de signification que dans sa propre vie, ou sa propre mort ». Entrebâille-t-il alors cette porte sur les « au-delà métaphysiques », qu'il avait tenue close jusque-là ? Ou se contente-t-il d'avertir son public que toute interprétation, toute mise en valeur d'un sens du récit n'existe qu'aux risques et périls du lecteur ? Et puis, quelle signification l'auteur lui-même donnerait-il à son œuvre ? « Ni plus ni moins », à la fin, est-ce beaucoup ou peu ?

La réponse est peut-être facile. Personne ne conteste qu'une « histoire de soldat », très simple, la mort d'un poilu égaré et blessé présente un certain intérêt humain. Et l'on imagine sans peine la façon dont d'autres auteurs auraient traité cette matière. Mais Robbe-Grillet ? Il l'a fait, précisément, avec *Dans le Labyrinthe*. Que le sujet devienne aussitôt complexe, baroque, labyrinthique de forme, qu'une imbrication de cadres gigognes vienne en démultiplier les perspectives, que le monde du narrateur et du soldat baigne dans une atmosphère caligaresque où les objets, scrutés, déformés, organisés en fonction de fixations psychiques, n'expriment « ni plus ni moins » que ce que leur prête le lecteur, tout cela n'étonne pas venant de Robbe-Grillet. En un certain sens, la lecture du *Labyrinthe* est peut-être plus aisée que celle des autres romans, car elle ne présente pas, ou presque pas, de difficultés dans l'ordre de l'intrigue. En revanche, la mise à jour de la structure de l'œuvre exige un patient effort d'attention et de précision pour démêler les fils conducteurs qui mènent à des richesses cachées.

Il est toujours utile, lorsqu'on aborde les romans de Robbe-Grillet, d'utiliser l'intrigue à titre de schéma, même si, ce qui n'est pas le cas, elle était de pure convention. Qu'*arrive*-t-il donc dans le *Labyrinthe* ? Qui agit, qui parle, que voit-on ? Que nous livre le texte ?

Un narrateur commence par s'annoncer : « Je suis seul ici, maintenant, bien à l'abri ». Mais jusqu'à la section finale (le quatorzième des « chapitres »), plus aucun pronom n'en rappellera la présence. Comme le docteur Rieux, dans *la Peste* de Camus, il se révélera, par deux mots — un « ma » et un « moi » — être le médecin-narrateur du texte. Pourtant, à l'occasion de nombreuses retraites dans cette chambre close où il se cache et d'où il sort par des issues diverses et trompeuses, nous sommes constamment entraînés à la suite de ce *je* innommé. Les passages en apparence les plus objectifs, là où le lecteur pourrait se croire doté d'une vision impersonnelle, d'un point de vue mobile et sans attache à la façon de la *caméra-œil* de Dziga Vertov, gardent une qualité d'existence intime, grâce à cette présence du narrateur dont les démarches, si labyrinthiques soient-elles, ne cessent de s'imposer à notre conscience. Dès le début, le labyrinthe — la ville où se perd le soldat — nous apparaît comme un dédale à la fois de matière inerte et de vision fiévreuse. Les oscillations entre la chambre et les autres « foyers » du labyrinthe extérieur (le café, les rues, les couloirs et les appartements des immeubles) sont comme une figure de l'oscillation entre la pensée et les choses.

Dans la chambre, dont la porte n'est mentionnée qu'à l'avant-dernière page du livre, il y a un lit, une commode, une cheminée sans chenets, une table supportant une lampe, d'épais rideaux rouges (cachant une fenêtre ?). Sur la table, un objet, dont la forme évoque une croix, deviendra un thème de variations typiquement robbegrilletiennes : il sera relié au dessin du papier mural, à un flambeau, à une figure humaine, à un poignard-baïonnette... Sur le plancher, des traces luisantes dessinent un vague triangle aux angles arrondis — à chaque point d'arrêt : devant le lit, devant la table, devant la commode. Une mouche qui se promène sur l'abat-jour de la lampe projette au plafond, par un procédé optique de *camera oscura* inversé (le point noir remplissant, conformément à ce qu'on appelle en physique le principe de Babinet, le même office que le trou localisé ailleurs sur l'abat-jour), l'image du filament électrique de la lampe. Lorsque le polygone brillant touche aux plis des rideaux, une brusque issue se présente (la fenêtre, par laquelle le narrateur regarde de côté ?), et le texte s'ouvre à une scène extérieure.

C'est la ville-labyrinthe : rues toutes pareilles, aux croisements réguliers et aux mêmes enfilades d'immeubles, un décor neutre, plat et vide, sur lequel tombe une neige dont les flocons sont tous également espacés, comme si une structure rigide se déplaçait lentement vers le bas. Un bref retour à la chambre s'opère au moyen d'une « liaison de scène », procédé dont nous étudierons plus loin les modalités ; puis c'est de nouveau l'extérieur, et le lampadaire où s'appuie le soldat, qui prend corps à partir d'une hanche, d'une épaule et d'un bras collés au fût du reverbère. Suit un « montage parallèle » où séquences extérieures et séquences intérieures alternent très rapidement : description du visage fatigué du soldat, d'autres détails de la chambre ; le soldat porte un paquet sous le bras, mais quelques lignes plus loin, la boîte est « maintenant » sur la commode (elle a été, sans doute, ouverte et remballée). Le narrateur, comme Jean Gabin dans *le Jour se lève,* se remémore peut-être un passé à partir des objets qui l'entourent (Section I, p. 9-24).

Au-dessus de la commode, une gravure représente une scène de café : comptoir, groupes de consommateurs ahuris, une table où sont assis trois soldats. Devant eux, un jeune garçon accroupi tient une boîte. Les gestes violents, mais figés par le dessin, des personnages attroupés autour d'une affiche s'expliquent sans doute par la légende du tableau : « La défaite de Reichenfels ». Au terme d'une longue et minutieuse observation, l'image dessinée s'anime. Les clients sont partis ; le garçon parle au soldat. Par le rectangle d'une porte vitrée — qui ne figure pas plus sur le tableau qu'elle n'existe dans la chambre — on aperçoit la nuit noire.

Viennent une série de scènes qui sont autant de tentatives d'amener au café le soldat et le garçon : rencontre près du réverbère ; effort du soldat pour se rappeler le lieu qu'il doit chercher ; disparition du gamin. Variante de la même scène, nouvelle disparition du gamin dans la perspective des reverbères. La réussite, enfin : les deux personnages entrent dans le café, passent devant un autre « personnage » (le narrateur ?), viennent occuper la place qu'ils ont dans le dessin (Section II, p. 24-60).

Le garçon retrouve une nouvelle fois le soldat adossé au reverbère ; leur conversation nous apprend que le soldat a passé la nuit dans une caserne (ou pseudo-caserne) de la ville (scène qui se révélera plus tard de beaucoup « postérieure » aux événements connus jusqu'ici). Le regard du soldat, portant très haut vers la fenêtre d'en face, entraîne une rentrée dans la chambre, puis dans le tableau où le soldat se retrouve en compagnie du gosse. Ils sont de nouveau dehors ; le gamin disparaît dans un immeuble ; le soldat tente de le suivre dans les couloirs obscurs du bâtiment, il croise plusieurs femmes étonnées ou effrayées de sa présence. La dernière, la mère du gamin, serait d'accord pour l'aider à découvrir le nom de la rue où, apprend-on, il doit porter la boîte et la remettre à quelqu'un. Ce nom commence à proliférer (procédé hérité de Kafka et souvent employé par Robbe-Grillet) : rue Matadier, Montoret, Montalet, Bouvard, Brulard, etc. Le soldat (atteint d'un accès de fièvre qui va empirant) ferme les yeux sur une vision de neige (Section III, p. 40-59).

Un bref déplacement dans la chambre mène à la glace, au-dessus de la cheminée. Cette glace « encadre » aussitôt l'errance du soldat dans le dédale des corridors et ses démarches pour retrouver la femme à la voix grave, scène tour à tour éclairée et assombrie par l'ouverture et la fermeture incessantes des portes donnant sur le couloir. Parvenu enfin chez la femme, le soldat accepte de manger et de boire. La chambre est semblable à celle du narrateur et sur le même mur, au lieu d'un dessin, il y a une photographie où l'on voit un soldat appuyé contre un réverbère. Comme le tableau, elle s'anime, mais de façon très brève. Le soldat de la photographie « rentre » dans l'immeuble et prend la place du soldat protagoniste. S'embrouillant dans l'explication qu'il donne de sa présence en ville, ce dernier apparaît alors à la jeune femme comme un espion. Son allusion à une caserne prend corps ; on le voit chercher vainement cette sorte de bâtiment au milieu de carrefours de rêve, ou de fièvre (Section IV, p. 59-74).

Le soldat est de nouveau dehors. Il erre dans la neige sillonnée de pas, de cercles (tracés par le gosse autour des réverbères) et de pistes, le tout vu de la fenêtre d'un dernier étage, celle du narrateur sans doute ; dans la chambre, la mouche continue de tourner sur l'abat-jour de la lampe. Au-dessus de la commode, la photographie ovale du deuxième soldat remplace le tableau qu'on se serait attendu à trouver là. Ce « fondu » reconstitue la scène du soldat-protagoniste dans l'appartement de la jeune femme. Un homme paraît ; il boite (faut-il croire à un jeu de mots ?), mais peut-être se sert-il de sa béquille de façon à laisser entendre qu'il fait seulement semblant d'être estropié. Personnage plutôt menaçant, il propose que le gamin accompagne le soldat pour l'aider à découvrir la rue qu'il cherche. Le soldat et son guide s'acheminent sous les clartés rondes des lampadaires, sous la neige qui tombe (Section V, p. 74-94).

Le gamin abandonne le soldat devant une porte et disparaît dans la nuit. Plusieurs scènes « ratées » s'enchaînent ensuite, au moment où le soldat veut entrer dans l'immeuble. Délire-t-il ? Il rencontre une femme (non), il est dans la chambre du narrateur (non), il voit, dans le couloir, un personnage chaussé de daim gris (non), enfin, il converse avec un homme en uniforme militaire qui le fait monter dans une salle tout en longueur où des soldats dorment sur des châlits. Se penchant à la fenêtre, le soldat voit, à la porte en bas, un autre soldat — image ou double de lui-même. L'homme en uniforme le fait se coucher à son tour. Le soldat s'inquiète de son paquet ; il le serre sous son oreiller. Un fragment de dialogue entre le soldat et le gamin, « postérieur » à cette nuit passée dans la caserne-infirmerie, s'insère dans la suite du texte ; on se rappelle l'avoir déjà entendu (dans la troisième section). Lorsque le soldat s'endort, un « fondu » nous ramène à la scène du cabaret, sujet du « tableau » (Section VI, p. 94-110).

La serveuse attire aussitôt l'attention : c'est la jeune femme de l'immeuble. Le soldat est de nouveau chez elle, où il examine la photographie ovale. La mère de l'enfant parle de la déroute de l'armée à Reichenfels. Le boiteux entre dans la pièce. Le gamin accompagne le soldat à la caserne ; ils passent devant l'immeuble en haut duquel se trouve la chambre du narrateur. Comme en rêve, le soldat retrouve la pseudo-caserne. Il s'éveille en sursaut, mais c'est pour quitter un autre rêve : il entend sonner l'alerte dans une tranchée. Sa fièvre empire ; dans son délire, il s'égare dans un dédale cauchemardesque de couloirs et de rues ; il voit s'attrouper, derrière les vitres d'un appartement, une foule de gens qui le montrent du doigt comme s'il était un espion. Il se réfugie dans un escalier — qui aboutit à la chambre du narrateur, où la mouche poursuit sa ronde sous les yeux d'un personnage allongé sur le lit (Section VII, p. 110-126).

Le soldat se réveille dans son « vrai » lit. Malgré sa fièvre, il veut sortir et remettre la boîte à son destinataire. Le surveillant lui amène un infirmier qui annonce la venue du médecin. Il faut changer ses vêtements mouillés ; on lui apporte une autre capote. Sous prétexte d'aller aux cabinets, le soldat s'échappe, descend l'escalier, au bas duquel il se retrouve devant l'homme à la béquille (comment peut-il avoir marché si loin, s'il est vraiment invalide ?), qui le questionne sur le contenu de la boîte d'une voix menaçante. Le soldat écarte l'homme et sort. Dans la poche de la nouvelle capote, il trouve une bille de verre (Section VIII, p. 126-141).

Cette bille, que sa description apparente à un œil de verre, est maintenant entre les mains du gamin, au café. De la même manière que le personnage du soldat, celui du gamin se dédouble, comme s'il s'agissait de deux personnes différentes : celui qui a mené le soldat au café et celui qui l'a conduit, ou le conduira, à la caserne... Quoiqu'il en soit, le gamin nie que le boiteux soit son père. Un passage où le temps des verbes subit de forts décalages (présent, imparfait, passé composé) replace le soldat au dehors, conversant à un carrefour avec un bourgeois qui doit être le narrateur et qui prête une attention extrême au récit de ses efforts pour trouver dans la ville celui qu'il doit rencontrer. Après avoir quitté son interlocuteur, le soldat se demande s'il ne vaut pas mieux jeter la boîte. Il s'approche d'une bouche d'égout. Le gamin surgit et lui demande pourquoi il veut se séparer de son paquet. On entend un bruit de motocyclette (Section IX, p. 127-160).

Appelée par ce bruit, une scène se déroule, où le soldat, au cours d'une attaque, essaie de sauver un camarade blessé. Puis il est seul, portant la boîte, et durant quelques instants il s'imagine la jetant. Suit l'image d'une caserne (une vraie, cette fois) ; et, de nouveau, la foule souçonneuse et la rue avec le gamin. Il est évident que les bribes d'un « passé » sont en train de se rassembler. Un sidecar surgit, monté par des soldats ennemis armés d'une mitrailleuse ; ils tirent sur le soldat. Blessé au côté, il se traîne, aidé du gamin, vers l'embrasure d'une porte (Section X, p. 160-170).

Une nouvelle scène se déroule ensuite au café. Elle se place sans doute à une époque antérieure, juste après la défaite, et dans une autre ville. On parle de trahison, d'officiers pourris, d'agents ennemis, d'espions. Le soldat apprend qu'on le recherche. Quelques scènes plus récentes s'intercalent : le soldat pénètre de nouveau dans la chambre de la jeune femme. Il est blessé ; un médecin (le narrateur) se penche sur lui. Sur un de ces « non » qui marque toujours l'abandon d'une fausse piste dans le labyrinthe du récit, le texte revient en arrière, à la scène déjà ancienne où son camarade blessé tente de lui confier la boîte, à lui qui, après un cauchemar de rues, de réverbères, de façades monotones, de casernes et de couloirs à la recherche d'un destinataire hypothétique, est maintenant lui-même étendu, blessé, sur le lit de la jeune femme (Section XI, p. 170-189).

Fiévreux, mourant, le soldat est inquiet pour sa boîte. La jeune femme lui raconte de quelle manière, avec le gamin et le médecin (narrateur), elle l'a sauvé ; le garçon a ramassé la boîte. Le boiteux surgit et une violente discussion s'engage. Dans son délire, le soldat veut se lever, reprendre la boîte et s'en aller une nouvelle fois. Plusieurs scènes fragmentaires tournent dans sa tête et se mélangent. Comme le narrateur l'a fait à un autre moment, il voudrait examiner de plus près une fissure au coin du plafond. Leurs pensées se rejoignent dans une identité ambiguë (Section XII, p. 189-205).

Au cours d'une conversation avec la jeune femme, le soldat précise les circonstances de la mort de son camarade, du coup de téléphone qui fixait le rendez-vous dans cette ville (venait-il du père de l'autre soldat ?). Le premier soldat blessé surgit dans l'image du second. Enfin, accrochés aux plus infimes détails de la pièce où il agonise, le soldat-protagoniste meurt (Section XIII, p. 205-211).

Le narrateur qui, en quelques phrases, est identifié au médecin, relie les fils de l'intrigue. A la mort du soldat, la jeune femme remet la boîte au narrateur qui l'emporte et la garde chez lui, comme l'explique la première scène du livre. Il l'a ouverte et en donne l'inventaire : des lettres de la fiancée de ce « Henri

Martin », une montre, une bague, un poignard-baïonnette semblable à celui que possédait la jeune femme. Au fur et à mesure qu'il résume l'histoire, le narrateur la met au présent : nous sommes une dernière fois au café, où le soldat, un instant, reprend sa place aux côtés du gamin. La scène se fige et devient le tableau. Dans la chambre du narrateur, sur la table, il y a des feuilles éparses (est-ce le texte du livre ?). Le mot de « porte » est prononcé pour la première fois et par l'issue ainsi créée, le narrateur se soustrait à son labyrinthe. Il termine son récit par cette phrase : « et toute la ville derrière moi. » (Section XIV, p. 211-221).

Lorsqu'on commence à analyser cette œuvre, où la minutie visuelle et l'enchevêtrement des structures à double sens propre à Robbe-Grillet s'allient à un lyrisme intermittent qui rend un son neuf chez l'auteur (obtenu surtout par des effets émotionnels pathétiques, dans les scènes où le soldat souffre ou délire), on se heurte tout de suite au problème soulevé par le mode narratif, c'est-à-dire par le point de vue selon lequel le lecteur est censé « voir » le texte. Comme la plupart des scènes où figure le soldat — qu'il soit seul ou en compagnie du gamin, de la jeune femme ou des clients du café — peuvent faire croire à une absence totale de narrateur, on est tenté de penser que les scènes de la chambre close sont, par le jeu d'une implicite « première personne », les seules à être liées à une subjectivité ; les autres se dérouleraient d'un point de vue impersonnel, quasiment balzacien, à l'exception toutefois des rares instants où le narrateur surgit au détour d'une rue, au café, dans l'appartement de la jeune femme, ou, vers la fin de l'histoire, lorsqu'il se décrit lui-même aux aguets, ou encore lorsqu'il signale sa présence par une phrase comme « à ma dernière visite ».

Mais il n'en est rien, et le narrateur, quoique invisible, est toujours présent. Tous les « cadrages » du soldat, qu'il soit adossé à un réverbère, assis au café ou perdu dans les couloirs des immeubles, sont « pris » par un regard humain fixé sur le héros (d'où peut-être l'analogie de la bille de verre et de l'œil). Sous l'apparent réalisme de la présentation des événements par un observateur (imaginaire, caché ou dissimulé), on perçoit la pensée, l'émotion d'un homme attaché à toutes les démarches du soldat et qui voit pour lui ses souvenirs, ses délires et ses rêves fébriles. Le procédé, bien qu'il ait une origine évidente chez les romanciers « impersonnels » de la tradition, créé un mode narratif nouveau qu'on pourrait appeler « symbiotique ». La qualité spécifique de ce mode, on peut la saisir en comparant le procédé narratif du *Labyrinthe* à celui du *Voyeur*. *Le Voyeur* est un texte objectivé par quoi l'intérieur de Mathias est projeté dans le monde extérieur et transforme ce dernier. Mais il n'existe que *par soi,* et ne fonctionne que pour donner forme au contenu mental du protagoniste. Le texte du *Labyrinthe,* en revanche, ne s'organise plus à partir d'une base abstraite, mais existe en tant que pensée du personnage qu'il crée, ce narrateur qui, malgré ses rapports étroits avec l'auteur, réside réellement à l'intérieur de l'ouvrage.

La présence du narrateur est également sensible d'une autre façon, et à tout moment. Non seulement il évalue, place, ordonne le contenu de chaque scène, mais il ordonne les scènes entre elles. On peut penser — surtout à cause des « feuilles éparses » qu'on trouve sur la table, à la fin du livre — qu'il rédige un journal, qu'il recrée ou crée tout simplement une histoire dont il cherche la vérité par une série d'hypothèses, de tentatives de reconstruction fictive, mais vraisemblable. Ainsi s'expliqueraient les « non » qui effacent comme un coup de chiffon l'ébauche des scènes qualifiées de « fausses » par le narrateur lui-même (p. 96-97, 202, etc.), les remarques comme « cette scène ne mène à rien » ou « c'est sans doute à cet endroit que se place la scène de l'assemblée muette » (p. 179), les retombées constantes lorsque le narrateur semble perdre haleine ou faire retraite dans sa chambre, et la façon dont les dernières parties du roman se résolvent progressivement en récapitulations, en schémas, en un sommaire démystifié et banal de l'histoire du soldat.

A la limite, on peut imaginer que le narrateur du *Labyrinthe* ne sort jamais de sa chambre, sinon à la dernière ligne du livre, et qu'il invente toute l'histoire à partir de certains éléments de son décor (la baïonnette et surtout le tableau). Comment expliquer autrement l'animation de la gravure et le fait qu'elle contient le même soldat (ou un soldat tout semblable), le même garçon aussi ? Une interprétation littérale du tableau (déjà ancien, évidemment) n'aboutirait qu'à une sorte d'anticipation historique (toutes les défaites se ressemblent) relative à une autre époque et à une autre guerre, dont le conflit actuel répéterait les situations fondamentales. Le narrateur se contente-t-il d'interpréter le tableau, ou bien s'agit-il de ce procédé familier au cinéma fantastique où l'on voit la caméra s'introduire à l'intérieur d'un tableau ? (1).

Quoi qu'il en soit, il apparaît que le narrateur est occupé à l'élaboration d'une fiction destinée à composer une harmonie en soi, une sorte de « roman pur » dont toutes les significations resteraient immanentes. Sinon un roman sans romanesque, du moins un roman dont les mobiles psychologiques seraient transférables à la vie sentimentale du lecteur ; sinon un « livre sur rien » au sens où l'entendait Flaubert, du moins un livre où le *faire* dominerait. Le paradoxe du *Labyrinthe* est qu'en dépit de cette intention rigoureuse, il est, de tous les romans de Robbe-Grillet, celui peut-être qui parvient le plus à nous émouvoir.

Pour comprendre ce phénomène, il faut examiner dans le détail quelques aspects de cette œuvre savam-

---

(1) Comme, par exemple, dans le film anglais *Three Cases of Murder* (*Trois Meurtres,* 1954) de Wendy Toye (le premier sketch, intitulé *Le Tableau*), ou dans la séquence de *She Played with Fire* (*Le Manoir du Mystère,* 1957) de Sidney Gilliat, au cours de laquelle « le rêveur pénétrait dans un château, puis à l'intérieur d'un tableau représentant le château, puis dans le château représenté par le tableau, etc. » (*Positif,* mai 1961, p. 57).

ment articulée, où l'art des transitions, des modulations, des rapports formels, de la déchronologie et de la rechronologie atteint une quasi-perfection. Il sera ensuite possible d'expliquer l'étrange puissance de cette histoire délibérément vidée de toute signification, de toute allégorie, de tout mystère, et qui exprime pourtant, mieux que la plupart des « romans de guerre », le pathétique de l'homme réduit à un numéro matricule dans un monde qui, malgré le « trompe-l'œil » littéraire, figure assez exactement le monde contemporain (2).

Parmi les « foyers » du labyrinthe qui sont autant d'issues au dédale de la structure du roman, comme autant de carrefours où passe et repasse l'aventure du soldat ou du narrateur — la chambre close, le café, la chambre de la jeune femme, etc. — il y a un centre où convergent tous les fils d'Ariane possibles : c'est le tableau. Or, cette gravure, qui représente un lieu et une situation identiques ou analogues à la scène du café, peut apparaître d'abord comme une de ces nombreuses duplications intérieures, ou un de ces « raccourcis microscopiques », que l'on trouve chez Robbe-Grillet comme chez la plupart des auteurs du Nouveau Roman (3).

Mais le tableau du *Labyrinthe* fait davantage que dessiner en réduction le sens de l'œuvre : animé ou figé, il participe à la vie du roman. On peut dire qu'à l'intérieur de l'œuvre, il fixe les étapes décisives de l'action, comme le texte lui-même fixe la totalité de cette action entre la première et la dernière page du livre.

---

(2) Robbe-Grillet n'a-t-il pas écrit (« La Mort du personnage », in *France-Observateur* du 24 octobre 1957) : « Il est certain que l'époque actuelle est plutôt celle du numéro matricule » ?

(3) Je renvoie le lecteur, pour ce qui concerne ce procédé (qui s'applique aussi à des exemples comme la peinture murale de la caverne dans *la Mise en Scène* de Claude Ollier ou le tableau de *la Route des Flandres* de Claude Simon) à la note correspondante du chapitre sur *la Jalousie* et surtout à mon article sur « Le point de vue » mentionné à cet endroit.

Proposons donc le schéma suivant, un peu simpliste sans doute, mais qui peut, croyons-nous, servir de fil conducteur pour la lecture du roman : Un narrateur — l'auteur, son semblable, son frère, un auteur en tant que *persona* et non pas nécessairement Robbe-Grillet — est enfermé dans une chambre aux fins d'y *créer* une œuvre (c'est l'image mallarméenne du poète devant la page blanche). Il s'y repose ou y rôde. Quels éléments y trouve-t-il, qui lui permettront de tirer son œuvre du néant de lui-même ? Les meubles, les traces de ses allées et venues sur le plancher, un poignard-baïonnette (souvenir de guerre ?) dont la forme se distingue difficilement à distance, le dessin du papier sur les murs (une neige de petits dessins, de flocons, de...), au plafond l'itinéraire curieux de l'ombre inversée d'une mouche (le corps noir de l'insecte projette l'image lumineuse de tout autre chose, du filament de la lampe, comme la présence invisible du narrateur projette dans le texte les scènes qu'il imagine), et par un hasard qui perdra toute qualité de hasard en devenant l'essence même du récit, un tableau, assez ancien, représentant une scène de café après une défaite. Les réactions des trois soldats et des bourgeois de la salle y ont été saisies sur le vif et figées pour l'éternité par un artiste anonyme.

Il s'agit dès lors, pour le narrateur, d'unir ces éléments, de trouver les rapports capables de les lier, de peindre une scène ici, une autre là, de se corriger, de retourner en arrière pour élaborer une meilleure solution, d'esquisser des tentatives, des scènes qui se révèleront « fausses » ou défectueuses, de se conduire, en un mot, comme le prisonnier d'un labyrinthe à la recherche d'une issue : la progression dans le dédale devient l'image et la forme même de l'œuvre.

Lorsqu'il bute dans une impasse, le narrateur se tourne vers une nouvelle voie. Il se retrouve souvent au même endroit, mais il y parvient chaque fois par un chemin différent. Et puisqu'il s'attache à chaque pas de son protagoniste, qu'il le fait vivre comme le créateur fait vivre sa créature, tout en le gardant toujours à distance de soi (l'objet sous le regard de son créateur), son héros vivra lui aussi de cette existence labyrinthique. Davantage, il mourra dans le labyrinthe avant que le narrateur ne soit parvenu à remplir toutes les cases de son plan, à terminer son récit et à sortir par l'issue dernière.

En termes simples, le narrateur emprunte le sujet de son œuvre au sujet du tableau : il va *animer* la gravure morte accrochée au mur de sa chambre. Tout le roman peut alors s'expliquer comme l'élaboration d'une réponse difficile à quelques banales questions : quel est donc ce soldat, attablé au café juste après la défaite mentionnée dans le titre de l'image ? Qui est ce garçon assis à ses pieds, et que peut bien être cette boîte qu'il serre entre ses bras ? Et, puisque le narrateur se mêle de cette histoire, quel peut être son rôle ? Le fait que toutes ces questions trouvent des réponses tout à fait normales à la fin de l'œuvre explique peut-être le rythme des récapitulations que le narrateur opère avant de terminer son récit. Lorsque tous les contours du dessin ont été tracés, il peut rapidement y mettre les dernières touches avant d'ouvrir la porte de sa chambre (ouverture libératrice) et d'abandonner sur la table les feuilles éparses de son travail.

Il reste à expliquer l'étrange envoûtement où nous plonge le roman et son histoire, cette curiosité, cet émerveillement, cette attention minutieuse et passionnée que le lecteur prête à chaque démarche, cette atmosphère « anxiogène » comparable à celle d'un roman de Kafka lu « au ras du texte », sans recours aux interprétations critiques qui recouvrent de gloses sociales, religieuses ou psychologiques des épisodes absolument dépourvus de « signification » explicite.

Cette « magie » que la critique a reconnue presque à l'unanimité dans le *Labyrinthe,* il me semble que l'utilisation des deux procédés suivants en rendent compte. Le premier consiste (comme, si l'on veut, dans la première partie de *l'Etranger* de Camus) à ne présenter le héros — un « simple » soldat égaré à la suite d'une défaite, et qui voudrait remettre, comme il l'a promis, un paquet d'effets personnels au père d'un camarade mort — que dans sa situation actuelle, selon ce qu'il *est* et *fait* présentement, sans encadrer ses actes de commentaires sentimentaux ou d'explications psychologiques. Le second procédé consiste à décrire le soldat et le monde qui l'entoure au moyen d'un style qui souligne et fait ressortir les aspects d'un univers « banal » — une ville vaguement européenne avec ses immeubles, ses couloirs, ses carrefours, ses cafés — mais baignés d'une lumière neuve qui nous la révèle avec une intensité onirique, selon un procédé qui tient évidemment au style propre de Robbe-Grillet. A ces deux figures, il faut ajouter la technique, elle aussi très robbegrillettienne, qui consiste à établir des rapports de forme entre les objets, les structures et les situations, technique d'une circulation plus ou moins libre dans l'espace, le temps ou l'espace-temps. Par le recours à des scènes imaginaires, extérieures à la chronologie et au lieu, l'auteur échappe à la rigueur du vecteur passé-présent-avenir, et le sens de son effort devient ainsi très clair.

Cette autonomie à l'égard de l'espace et du temps n'a pourtant rien de capricieux. Elle n'est pas faite non plus pour étonner. Elle est toujours sujette à des restrictions internes. Précisément, l'image du labyrinthe impose à l'auteur la stricte nécessité de justifier la liaison des scènes, le déplacement et le décalage des événements, en un mot, les transitions.

Dégageons maintenant certains de ces procédés de liaison. Il faut rappeler d'abord que dans *la Jalousie,* par exemple, toutes les scènes se révèlent, à l'analyse, organisées selon plusieurs variétés d'associations psychologiques. Un autre ordre de rapports domine dans le *Labyrinthe*, un rythme de découpage fondé non seulement sur les similitudes de forme ou de structure, mais aussi sur le principe de la mise en valeur ou de la fonction des scènes d'après l'ordre de leur présentation dans la suite du temps de l'œuvre ou dans celle du temps de la lecture. Une scène se comprend donc selon sa forme interne, selon les rapports de cette forme avec celle des scènes qui lui sont antérieures ou postérieures, et selon les rapports de *transition* qui dépendent, eux, du système général de la construction de l'œuvre et qui incarnent dans la structure du roman l'image centrale du labyrinthe (impasses, fausses pistes, détours, retours en arrière, itinéraires plus « réussis », échecs, arrêts, retraites, enfin issues, ouvertures, sorties). En fait, plus les éléments d'un roman de Robbe-Grillet paraissent cahotiques, plus l'analyse révèle leur unité.

Dès le premier paragraphe du livre, on rencontre le mouvement fondamental d'*oscillation* qui, plus tard, liant ce qui est d'abord opposé comme le négatif et le positif, résoudra les contradictions en alternances. Le passage est remarquable surtout en ceci que la « modulation » entre les deux pôles s'effectue au moyen du mot « balancement » lui-même, qui gravite en une répétition savante autour du pivot abstrait rivé au centre de l'image.

> Je suis seul ici, maintenant, bien à l'abri. Dehors il pleut, dehors on marche en courbant la tête [...] ; dehors [...] le vent souffle dans les feuilles, entraînant les rameaux entiers dans un balancement, dans un balancement, balancement, qui projette son ombre sur le crépi blanc des murs. Dehors il y a du soleil, il n'y a pas un arbre, ni un arbuste, pour donner de l'ombre, et l'on marche en plein soleil, s'abritant les yeux d'une main tout en regardant devant soi, à quelques mètres seulement devant soi, quelques mètres d'asphalte poussiéreux où le vent dessine des parallèles, des fourches, des spirales (p. 9).

Plus loin, l'auteur parlera (p. 94) de *balanciers* qui décrivent des « oscillations parallèles, identiques, mais contrariées ». On peut donc voir dans ce passage initial — en musique, on dirait « ouverture » — non seulement l'annonce de certains thèmes essentiels du récit (les sens contraires de la marche, la limitation de la vue, le dessin des traces sur le chemin, etc.), mais aussi la mise en place d'une structure libre qui sert de cadre chronologique aux événements qui vont suivre, de l'automne (la pluie) précédant l'hiver du roman, au printemps ou à l'été (la poussière, le grand soleil) qui leur font suite.

Les traces laissées dans la poussière ménagent la transition vers la chambre du narrateur (où « la seule poussière » — comme la seule réalité ? — « provient de la chambre elle-même »), qui se révèle en un mouvement panoramique (il y aura toute une série de *panoramiques* et de *travellings* dans cette chambre), jusqu'aux rideaux dissimulant la fenêtre. Presque toujours, chaque fois que la « vue » du narrateur touche à leurs bords ou au coin du mur où ils tombent, ou à l'idée de fenêtre, ou encore au mot lui même, la transition s'effectue, avec « modulation » et passage de l'intérieur à l'extérieur, ou du dehors au dedans :

> [...] La paroi verticale [...] est dissimulée du haut en bas [...] par d'épais rideaux rouges, faits d'un tissu lourd, velouté.
>
> Dehors il neige. Le vent chasse sur l'asphalte sombre du trottoir les fins cristaux secs [...]. Mais le bruit saccadé des talons [...] ne peut arriver jusqu'ici [...]. La rue est trop longue, les rideaux trop épais, la maison trop haute. Aucune rumeur [...] ne franchit jamais les parois de la chambre [...] (p. 11-12).
>
> Au-delà se dresse la lampe [...]. Sur le cercle supérieur de l'abat-jour, une mouche se déplace avec lenteur [...]. Elle projette au plafond une ombre déformée, où ne se reconnaît plus aucun élément de l'insecte initial : [...] l'image du filament incandescent de l'ampoule électrique. Ce petit polygone ouvert [...], lorsqu'il arrive à la paroi verticale [...], disparaît dans les plis du lourd rideau rouge.
>
> Dehors il neige. Dehors il a neigé, il neigeait, dehors il neige. Les flocons serrés descendent doucement [...]. La neige qui continue de tomber ôtant au paysage tout son relief, comme si cette vue brouillée était seulement mal peinte, en faux-semblant, contre un mur nu.
>
> A la limite du mur et du plafond, l'ombre de la mouche [...] reparaît et poursuit son circuit [...] (p. 14-15).
>
> [...] Seule est visible au plafond l'image du filament [...] s'avançant lentement [...] jusqu'au moment où, arrivé à la paroi verticale, il disparaît.
>
> Le soldat porte un paquet sous son bras gauche [...], quelque chose comme une boîte à chaussures [...].
>
> La boîte enveloppée de papier brun se trouve maintenant sur la commode [...]. Juste au-dessus est accroché le tableau [...]. Les lignes verticales de petits insectes gris [...] montent jusqu'au plafond.
>
> Dehors, le ciel est toujours de la même blancheur sans éclat (p. 20-23).

En termes simplifiés, chaque fois qu'elle bute sur les rideaux, ou sur le coin du mur où ils tombent —

soit que le narrateur déplace son regard, soit qu'il suive le mouvement de l'ombre de la mouche —, cette « vue » franchit la fenêtre cachée (ou dissimulée) et s'arrête sur le soldat, ou le paysage. Entre temps, d'autres transitions s'opèrent : la boîte, tout d'abord à l'extérieur (au moment où l'histoire « se passe ») et ensuite dans la chambre (« maintenant », au moment où l'histoire se reconstitue) ; le plafond blanc de la chambre, transmué en ciel blanc au-dessus de la ville.

Cette dernière sorte de transition, par quoi la boîte est vue selon deux temporalités différentes, se rapproche du type de modulation entre scènes effectuée au moyen des analogies entretenues par les objets. Le texte coule doucement d'une image à une autre, jumelle, par ce qu'on pourrait appeler des « fondus liés » ou des « montages analogiques ». Lorsque l'image du filament de la lampe, projetée sur le mur à travers le trou du parchemin de l'abat-jour, s'agrandit dans l'ombre de la chambre, on lit immédiatement :

> C'est encore le même filament, celui d'une lampe identique ou à peine plus grosse, qui brille pour rien au carrefour des deux rues, enfermé dans sa cage de verre [...] (p. 16).

Transportée ainsi à l'extérieur, la scène y reste jusqu'à ce qu'une nouvelle modulation l'intériorise de nouveau, qui s'effectue par le rapprochement des traces laissées sur la neige autour du lampadaire et des chemins luisants dessinés sur la cire du plancher de la chambre (p. 18) ; ailleurs, des formes comme celle du miroir rectangulaire accroché au-dessus de la cheminée ou du cadre ovale de la photographie chez la jeune femme (installé à un endroit analogue à celui du cadre rectangulaire du tableau chez le narrateur), ou même la forme d'une « personne allongée sur le lit », serviront de ponts entre des lieux et des moments distincts (voir p. 59, 66, 80-81, 126, etc.).

Il faut encore signaler, parmi les procédés de construction et de transition, un système très développé de « scènes fausses » (ainsi nommées dans le livre, voir p. 202). On se souvient que cet emploi était motivé dans *le Voyeur* par le désir ou la peur de Mathias cherchant à prévoir la réussite de ses ventes ou à combler un laps de temps suspect, et dans *la Jalousie* par l'obsession du mari se représentant l'infidélité de sa femme. Dans le *Labyrinthe*, ce procédé sert à « ouvrir » les fausses pistes du dédale où le narrateur cherche son histoire, esquisse des solutions, abandonne des projets, efface des phantasmes. S'il « débouche » dans une scène comme celle du café, il lui faudra découvrir, en « remontant », la voie qui l'y a mené.

Ainsi s'explique, par exemple, la série des tentatives pour conduire le soldat au café, qui commence à la page 31, tout de suite après la première scène « animée » de ce même café où se trouvent déjà le soldat et le garçon (p. 29-31). Une « première » rencontre du soldat avec le gamin ne mène à rien, et ce dernier disparaît en direction des lampadaires. Le texte « réfléchit » :

> C'est cependant ce même gamin, à l'air sérieux, qui l'a conduit jusqu'au café [...]. Et c'était une scène semblable, sous un même lampadaire, à un carrefour identique (p. 36).

Cette nouvelle tentative échoue également, et le gamin s'enfuit dans un tourbillon de neige. Le texte « hésite » :

> Pourtant, c'est bien le même gamin qui précède le soldat quand celui-ci pénètre dans la salle du café (p. 38).

La « séquence » se termine par un retour à la table du café et au soldat, assis devant son verre — verre qui ne figure pas sur le tableau. Bien que ce troisième essai soit « réussi », ces approches, par leur nombre même, laissent dans le récit des traces d'incertitude que soulignent encore les reprises et les variantes, surtout lorsqu'une scène presque identique, mais probablement située dans une autre ville, et avant que le soldat ne reçoive la boîte de son camarade agonisant, vient doubler et refléter l'autre (p. 170).

L'arrivée à la « caserne » est développée de façon analogue ; le rapport entre les deux événements, brouillé, donne lieu à des phrases comme :

> Ce gamin-ci est celui du café, semble-t-il, qui n'est pas le même que l'autre, qui a conduit le soldat (ou qui le conduira par la suite) jusqu'à la caserne. [...] C'est ce gamin-ci, en tout cas, qui a introduit le soldat dans le café [...] (p. 143).

Longtemps « avant », nous avons assisté à une scène qui doit se placer *après* la nuit de la caserne (p. 42-43 : « Où as-tu dormi ? [...] — A la caserne [...] — Tu sais pas rouler tes molletières ? »). Une cinquantaine de pages plus loin, l'effort de reconstruction de cette scène « à faire » conduit le narrateur à une succession de tentatives analogues, par leur forme, aux couloirs dans lesquels le soldat se perd :

> Le soldat est seul, il regarde la porte devant laquelle il se trouve. [...] Il remarque à cet instant que la porte est entrouverte : porte, couloir, porte, vestibule, porte, puis enfin une pièce éclairée, et une table avec un verre vide [...] et un infirme qui s'appuie sur sa béquille, penché en avant dans un équilibre précaire. Non. Porte entrebâillée. Couloir. Escalier. Femme qui monte en courant. [...] Porte. Et encore une pièce éclairée : lit, commode, cheminée, bureau avec une lampe [...] et l'abat-jour qui dessine au plafond un cercle blanc. Non. Au-dessus de la commode, une gravure encadrée de bois noir est fixée... Non. Non. Non.
>
> La porte n'est pas entrebâillée. [...] Puis le battant s'ouvre, en grand. [...] Non.
>
> [...]
>
> La porte s'ouvre d'un seul coup. [...] Au milieu [du corridor] se dresse un homme. [...]
>
> « Entrez, dit-il, c'est ici. » (p. 95-98).

On peut dire que le narrateur, perdu dans le labyrinthe de son histoire et cherchant à en sortir, va d'abord (comme pourrait le faire la « pensée » du soldat) à la scène de la chambre de la jeune femme (non) ; sa propre chambre l'attire ensuite, et la gravure, origine de sa démarche (non, non, non !) ; enfin, choisissant une autre direction, il découvre la « bonne » voie. A chaque détour, à chaque carrefour, on court le risque de « déboucher » dans quelque foyer du labyrinthe, dans quelque scène principale du récit, et de s'y attarder, d'y rester prisonnier.

La fausseté d'une scène procède d'un glissement indu dans l'ordre chronologique (préoccupation évidente du narrateur lorsqu'il dit, par exemple, à la page 179 : « C'est sans doute à cet endroit que se place la scène de... »), d'une résolution dans le néant ou dans l'irréel, d'une confusion de lieux ou d'identités (page 69, par exemple, lors de l'animation de la photo du soldat et du « fondu » des deux soldats en un seul), ou d'une sorte de virtualité ou de présence négative. Ce dernier procédé, qui rappelle l'usage mallarméen de l'absence objectivée (signalé en premier par Thibaudet), permet au narrateur d'ouvrir une quatrième ou une cinquième dimension de l'espace-temps, de rendre réelles, sans qu'elles soient pour autant *posées là,* des constructions seulement *possibles*. L'exemple le plus frappant en est l'apparition dans le texte d'une « vraie » caserne, qui contraste avec la pseudo-caserne où le soldat est obligé de se réfugier :

> Sans s'en apercevoir, il est peut être passé devant une caserne. [...] Cependant, il n'a pas remarqué de bâtisse dans le style traditionnel : une construction basse [...] s'allongeant sur près de cent mètres. [...] L'ensemble se dresse au fond d'une vaste cour nue, couverte de gravier. [...] Une guérite, de place en place, abrite un factionnaire l'arme au pied. [...] (p. 73).

Après la phrase négative « il n'a pas remarqué », on passe au verbe « se dresse », qui *crée* le bâtiment inexistant, pourvu ainsi de forme et de volume. Mais après avoir projeté devant nous cette caserne virtuelle, le narrateur la démonte en un remarquable mouvement de transition par montages superposés. Il nous est dit d'abord que le soldat n'a « rien vu de tel », qu'il n'a longé « aucune grille », qu'il n'a pénétré dans aucune cour ni rencontré de feuillages ; l'image continue ensuite à diminuer d'intensité, à s'effacer, mais non plus au moyen de négations : tout se passe comme si la caserne (imaginaire) avait été « vraiment » altérée, ou camouflée, ou réduite à la banalité d'un immeuble ordinaire :

> Les guérites ont été enlevées, naturellement, ainsi que tout ce qui pouvait distinguer l'immeuble de la série de ceux qui l'entourent ; il ne subsiste que les barreaux de fer qui protègent les fenêtres. [...]
>
> Mais il s'agit là, aussi bien, d'une caserne de pompiers, ou d'un couvent, ou d'une école, ou de bureaux commerciaux, ou d'une simple maison d'habitation, dont les fenêtres du rez-de-chaussée sont protégées par des grilles. Parvenu au carrefour suivant, le soldat tourne, à angle droit, dans la rue adjacente (p. 74).

Ici, comme il arrive souvent dans les scènes fausses, l'imaginaire ou l'irréel représentent non seulement un « égarement » du narrateur dans le labyrinthe, mais correspond de façon étroite aux désirs et aux craintes du soldat-protagoniste. Tout se passe donc comme si la surface du texte était une « surface mitoyenne » (l'expression est de Jacques-Bernard Brunius) de l'objectif (ce que voit et imagine le soldat) et du subjectif (ce que pense et invente le narrateur). Au cours de cette symbiose, le texte est tour à tour attiré du côté du soldat (à qui le narrateur voudrait qu'il s'attache) et du côté du narrateur (on le sent à l'angoisse évidente du récitant). Le soldat cherche une caserne : il est par conséquent vraisemblable qu'il en « voit » une. Mais il ne doit jamais faire irruption dans la chambre du narrateur (non, non !), d'où le rejet brutal de tout épisode qui risquerait de l'y amener (p. 97, 117, etc.).

L'étude de l'animation et du figement de la gravure ferait ressortir nombre de procédés analogues à ceux que nous venons d'analyser. Sur le tableau, le café est dépourvu de fenêtres et cette absence d'« ouverture visible » est longuement développée et commentée (voir p. 48). Comme la caserne problématique, une vitre ou une porte d'entrée émerge de son absence même :

> Les trois parois figurées sur la gravure ne comportent en effet aucune espèce d'ouverture visible. [...] La porte d'entrée, vitrée comme toujours, montrant en lettres d'émail blanc, collées sur le verre, le mot de « café » et le nom du propriétaire en deux lignes incurvées [...], cette porte d'entrée ne peut prendre place que sur la paroi absente du dessin. [...] (p. 48).

Comme déjà auparavant (p. 31) et souvent plus tard (p. 49, par exemple), la *présence* enfin révélée de cette fenêtre marque le passage du tableau à l'action « réelle ». Plusieurs retours au café s'opèrent également au moyen de la table où le soldat est assis, de la serveuse (qui semble être un double de la jeune femme), de l'idée d'un poêle situé près du comptoir (p. 108), etc. Il faut aussi distinguer entre l'animation naïve d'un tableau, telle qu'on peut la voir dans un film fantastique, et les transitions ménagées par Robbe-Grillet dans le *Labyrinthe.* Au cinéma, c'est le tableau lui-même qui s'anime et la réussite de l'effet tient à l'habileté technique avec laquelle on donne l'impression d'une vie « réaliste », les personnages peints devenant soudain de taille normale. Dans le roman, en revanche, les transitions sont assurées par des mots, des phrases et des paragraphes ; on y a plutôt l'impression d'être transporté non pas *dans* le tableau, mais *ailleurs,* dans le lieu et le temps où la scène se déroule, s'est déroulée, va se dérouler, pourrait se dérouler. L'emploi des mots contraint la scène, tout à fait indépendamment du vocabulaire « visuel », à se projeter sur l'écran du psychisme du lecteur, de sorte que toute comparaison avec des figures picturales, ou des pantins animés, ou des personnages tout court, est supprimée. A la rigueur, il pourrait s'agir d'un prolongement de la scène que le tableau est censé représenter, déclenché par le souvenir, la reconstitution, ou l'invention.

Or, de la même façon que les liaisons de scènes, les modulations entre « sections » (nous avons vu que le roman est divisé en quatorze de ces sections) constituent autant d'articulations de thèmes. Ainsi, pour mener à la première description du tableau (avant son animation), la section I s'achève sur un thème négatif de *vacuité,* mais les personnages dont il va être question transparaissent déjà par le moyen du procédé des « virtualités » déjà mentionné :

> Et toute la scène demeure vide : sans un homme, ni une femme, ni même un enfant (p. 24).

Cette technique de l'*effacement* vaut également pour les fins de section II et IV. Les autres sont marquées par les procédés analogues de l'amenuisement (III et fuite finale), de l'oscillation (V), du figement (VI), du sommeil, du repos, du rêve, de l'évanouissement (VII, X, XII), de l'anticipation (IX) du gros plan ou agrandissement d'un objet (VIII), du délire (XI) et de la mort (XIII). Et chaque fois, le début de la section suivante se rattache à la fin de la précédente à la façon des « fondus » et des « montages analogiques », pour employer le vocabulaire du cinéma qui s'impose tout naturellement pour l'étude du *Labyrinthe*.

Toutes les scènes du roman, des plus courtes (quelques lignes à peine) aux plus longues, autant que les grandes sections qui divisent l'œuvre, sont donc savamment ordonnées dans le but de concrétiser la situation d'un fugitif dont un observateur cherche à connaître l'histoire et comprendre le destin. L'emploi très poussé des *alternatives* renforce, sur le plan de l'intrigue aussi bien que sur celui du décor (carrefours identiques, images réfléchies, lampadaires multipliés, traces sur la neige ou le plancher...), le thème général ral de la démultiplication des possibilités, de leur ambiguïté, de leur contradiction. Rien ne reste stable : chaque objet, par sa forme ou son fonctionnement, entretient commerce avec un autre. Chaque détail entre dans le jeu des similitudes, des parentés, des associations. Il en résulte, en de nombreux passages, un style caractérisé par l'emploi de phrases *sérielles* qui semblent parfois près de tourner au maniérisme. Poussant encore plus loin le « style ternaire » de Flaubert (4), Robbe-Grillet établit non seulement un rythme à trois temps, mais aussi à quatre et plus. En voici quelques exemples :

ni le vent, ni la pluie, ni la poussière
le bois verni de la table, le plancher ciré, le marbre de la cheminée
des raies du plancher [...] ou bien du lit, ou des rideaux, ou des cendres
quelques heures, quelques jours, minutes, semaines
un rond, un carré, un rectangle, d'autres formes moins simples
parallèles, fourches, spirales
spirales, volutes, ondulations fourchues, arabesques mouvantes
sur le plancher, sur le couvre-lit, sur les meubles
du lit à la commode, de la commode à la cheminée, de la cheminée à la table
ni ailes, ni corps, ni pattes
une chute uniforme, ininterrompue, verticale

---

(4) Cf. l'étude de Ion Braescu, in *Recueil d'études romanes*, n° 30, p. 279-286.

une hanche, un bras, une épaule
enlevé leurs couleurs aux joues, au front, aux lèvres
un fauteuil de bureau, ou une chaise, un tabouret, ou un siège
des traces de boue fraîche, ou de peinture, ou de cambouis
sans un homme, ni une femme, ni même un enfant (I, p. 9 à 24).

Ce procédé, qui rappelle celui des poètes baroques et qu'on nomme l'*entassement*, reproduit dans le style ou dans les mots eux-mêmes ces petites impasses et ces élans minimes dans une direction donnée, aussitôt annulés et remplacés par d'autres, à angle droit, tendus vers d'autres possibilités. Même lorsque la série paraît linéaire (comme c'est le cas au moment où le soldat se matérialise à partir d'un « hanche, d'un bras, d'une épaule »), le lecteur, devenu circonspect après tant de faux pas et de retours en arrière, hésite à y croire, ou n'y prête qu'une foi provisoire, dans l'attente de nouveaux indices. Inconsciemment, il est porté à voir, dans cette phrase d'apparence simple, un dédale en miniature.

Parmi les rapports qui composent la trame ou la texture du roman, il faut compter les dédoublements, souvent liés à une métamorphose. Telles sont les « couples » tableau-café, tableau-photo, chambre du narrateur et chambre de la jeune femme, soldat-protagoniste et soldat-mari (de la jeune femme) ou soldat-camarade, jeune femme-serveuse, etc. Un seul être revêt parfois des aspects schizoïdes : ainsi l'infirme qui se déplace bizarrement à travers la ville jusqu'à apparaître à la caserne, ou le gamin qui guide le soldat jusqu'au café, mais le quitte avant de l'y laisser. A un moment donné, le soldat se penchant à la fenêtre de la caserne se voit lui-même (ou son sosie) tout en bas :

> Le soldat se penche un peu plus. Le trottoir lui apparaît, beaucoup plus bas qu'il ne s'y attendait. [...] Une masse indistincte bouge dans l'embrasure. On dirait un homme enveloppé d'un grand manteau, ou d'une capote militaire. [...] [Il reconnaît] avec netteté une épaule à patte boutonnée, un bras replié qui tient sous le coude un paquet rectangulaire, de la dimension d'une boîte à chaussures (p. 103).

Le poignard-baïonnette (lui-même double), qu'à la fin le narrateur extrait de la boîte du soldat, mais qui est apparu dès le début du livre, émerge d'abord d'un tracé de poussière, puis prend forme et volume selon une sorte de métamorphose descriptive où son identité ne se reconstitue qu'après plusieurs tentatives. Voici quelques-unes des étapes de cet itinéraire vers l'identité :

> Sur la droite, une forme plus estompée, recouverte déjà par plusieurs journées de sédiments [...]. C'est une sorte de croix : un corps allongé, de la dimension d'un couteau de table, mais plus large, pointu d'un bout et légèrement renflé de l'autre [...]. On dirait une fleur [...]. Ou bien ce serait une figurine humaine [...]. Ce pourrait être aussi un poignard [...].
>
> Un motif analogue orne encore le papier peint des murs. C'est un papier gris pâle, rayé verticalement de bandes à peine plus foncées [...], une ligne de petits dessins, tous identiques, d'un gris très sombre : un fleuron, une espèce de clou de girofle, ou un minuscule flambeau [...]. (p. 13-19).

> Quant au papier peint lui-même, les innombrables et minuscules taches qui en constituent le motif n'y conservent pas plus une forme de flambeau que de fleur, de silhouette humaine, poignard, bec de gaz, ou n'importe quoi. On dirait seulement des plumes silencieuses qui tomberaient verticalement en lignes régulières d'une chute uniforme [...] comme [...] des particules en suspension dans une eau tranquille, des petites bulles dans un liquide chargé de gaz, des flocons de neige, de la poussière. [...]
>
> Seul le dessus de la table, sous l'abat-jour conique de la lampe, est éclairé, ainsi que la baïonnette posée au milieu (p. 80).

Emergence, métamorphoses, possibilités polymorphes, rapports multiples (avec la neige, la poussière, etc.), enfin identité — cette arme meurtrière se charge peu à peu d'émotions, d'angoisse, d'inquiétude, de doute. Prémices de la mort du soldat, elle préfigure aussi le contenu probable — banal — de la boîte.

Mais quel rôle joue cette dernière, qui a suscité tant de commentaires ? On retrouverait facilement dans les contes populaires, dans les récits d'aventures et les romans psychologiques, des objets ambigus, « fermés » au sens propre et figuré du mot, symboliques, freudiens, dont l'identité absolue reste mystérieuse ou problématique. Des coffrets ou bouteilles magiques retenant prisonniers des génies aux pouvoirs surnaturels, aux talismans modernes de la psychiatrie (les billes d'acier dont la main du héros d'*Ouragan sur le Caine* joue sans cesse), l'*objet troublant* poursuit son histoire. La boîte qu'il est défendu d'ouvrir sous peine de déclencher un désastre et dont le prototype fut la boîte de Pandore, se rattache sans doute à de puissants complexes inconscients. Il en va de même des objets au fonctionnement mystérieux, dont un exemple ancien, mais toujours significatif, reste la coupe sacrée et la lance de la *Légende du Graal,* de Chrétien de Troyes. On oublie trop souvent que les multiples « explications » de ces objets sont toutes « savantes » et très postérieures à l'œuvre : symboles religieux (coupe et lance de la crucifixion, talismans des mythes celtiques, survivance des rites éleusinéens, etc.), sexuels (lingham et yoni), voire sociaux et historiques (explication généalogique du *Peredur*). Chez Chrétien, nulle trace de ces identifications. Le fait que Perceval ne pose *aucune* question sur le sens de ces objets est même essentiel à l'histoire : la retenue du chevalier entraîne la disparition de tous ceux qui participent à la cérémonie chez le Roi Pêcheur, dont le château reste alors vide d'invités, d'objets et de décors. Si l'on admet, ce qui ne fait guère de difficulté, que toutes les explications modernes de la cérémonie du Graal ne font, en somme, qu'appauvrir ce beau et mystérieux roman — elles restreignent sa signification à un seul sens qui, du coup, n'explique plus rien —, on peut mesurer la valeur et le rôle d'un *objet* fonctionnant à l'intérieur du monde de l'œuvre comme le *support* d'une émotion qui, n'existant qu'en *situation,* n'entretient pas de rapports symboliques ou métaphysiques avec un autre niveau de réalité.

Le fait que la boîte du *Labyrinthe* est finalement ouverte et son contenu décrit (des objets quotidiens : lettres, montre, etc., et le poignard-baïonnette) paraîtrait à première vue le distinguer des objets « hermétiques » analogues au Graal. On pourrait même être tenté de la rapprocher de cet autre objet de l'univers de Robbe-Grillet, la gomme (dans le roman qui porte ce titre), dont le sens reste ambigu, flottant ou nul. Mais la « révélation » du *Labyrinthe* ne survient qu'en dernière minute, pour ainsi dire, au cours de la récapitulation tardive et presque désinvolte qui précède le *détachement* du narrateur à l'égard de son récit. D'un point de vue « réaliste », rien n'empêche cette boîte d'être — tout au long de l'histoire — ni plus ni moins que ce qu'elle est à la fin, sans cesser pour autant de provoquer une perturbation psychologique constante chez les personnages comme chez le lecteur, de secréter une structure « anxiogène » qui cadre parfaitement avec le syndrome d'angoisse, de fuite, de délire progressif qui règne dans le *Labyrinthe*. Il était d'ailleurs nécessaire d'inventorier le contenu de la boîte à seule fin d'empêcher les interprétations symboliques de critiques toujours enclins à voir dans le moindre « mystère » une métaphore, une correspondance ou un symbole religieux. Par quelque ironie, l'un d'eux persiste à croire que la boîte du *Labyrinthe* recèle l'âme du soldat, lequel mourrait avec l'absolution du prêtre (le médecin) dans une espèce d'allégorie à la fois médiévale et moderne. Peut-être convient-il alors de poser cette très simple question : à supposer que nous rencontrions dans la rue, en de pareilles circonstances, un soldat porteur d'une boîte empaquetée, cette dernière n'éveillerait-elle pas immédiatement notre curiosité ? Et cette curiosité perdrait-elle de sa valeur originelle s'il nous était révélé plus tard que la boîte ne contenait qu'une collection d'objets sans intérêt ?

Pour bien comprendre l'indéniable réussite de *Dans le Labyrinthe,* il faut rappeler certains des principes que nous avons essayé d'élucider au cours de cette étude, et qui sont en partie des idées énoncées par Robbe-Grillet lui-même, en partie des théorèmes déductibles non seulement de ses romans, mais du genre romanesque lui-même. Il s'agit, une fois de plus, de « justifier » (sinon d'accepter sans justification), dans un roman comme le *Labyrinthe,* le *formalisme* (le système global des relations entre objets, scènes, métamorphoses, décalages, etc.), la *déchronologie* (qui, depuis Faulkner surtout, gagne de plus en plus le roman moderne), et le *contenu* (l'histoire du soldat, ou du narrateur qui raconte celle du soldat). Quant à l'univers formel de Robbe-Grillet, il est, depuis *les Gommes,* un monde où les objets se répondent non à la manière de symboles baudelairiens (qui sont toujours l'évidence d'une unité mystique nouée derrière les apparences), mais comme des formes réelles ou possibles de l'objectivité (rien n'est *forcé* dans les correspondances robbegrilletiennes), forme dont les rapports, surtout géométriques, reçoivent un contenu psychique émanant des personnages ou du lecteur lui-même. C'est, si l'on veut, une sorte de système phénoménologique « assisté ». Dire que « dans la vie » l'univers ne présente pas tant de correspondances de formes, revient à dire que « dans la vie » on ne trouve pas les « histoires » que racontent les romans. Même si l'objection était acceptable (ce qui n'est pas sûr), elle continuerait à n'avoir aucun intérêt pour l'inventeur de fictions.

Quant à la déchronologie, elle a deux justifications. En premier lieu, il est maintenant à peu près couramment admis que le *contenu mental* n'est jamais chronologique, que l'enjeu des souvenirs, des projets visualisés, des reconstructions de passé, constitutifs du « flux de conscience », a sa chronologie propre, psychologique, émotionnelle, obsessionnelle même, qui jure avec le déroulement linéaire du roman traditionnel, et dont la découverte et la libération par le roman moderne consacrent le triomphe d'une vérité humaine sans commune mesure avec le « réalisme » naïf. En second lieu, le roman du *Labyrinthe* s'organise autour d'un dédale spatial qui exige son correspondant dans le temps. Une histoire se constitue, ou se reconstitue dans un *tesserac* (volume à quatre dimensions d'Ouspensky) d'espace-temps et engendre en s'édifiant des prolongements imaginaires ou accessoires (les tentatives, par exemple), qui restent là comme les éclats ou les copeaux du bois qu'on dégrossit. Ce n'est pas la première fois d'ailleurs qu'une histoire prend forme dans une chronologie brouillée ou renversée ; on peut même dire que Proust ne procède pas autrement en nous révélant Swann (ou ses autres personnages), et que le procédé s'est répandu chez la plupart des romanciers contemporains (5).

Dans le *Labyrinthe,* la double histoire du soldat et du narrateur (duplicité qui divise, on l'a vu, les autres personnages en cours de récit) éveille l'intérêt du lecteur, le maintient et le transforme, vers la fin du livre, en un pathétique très pur au moyen de procédés trop rarement reconnus en littérature, mais qui jouent depuis bientôt trente ans un rôle important dans la critique cinématographique, mieux avertie des motivations psychologiques de la création esthétique. En empruntant idées et vocabulaire à des critiques comme Edgar Morin ou Cohen-Séat, il est possible de donner de la fascination, voire de l'envoûtement, exercée sur le lecteur par l'« histoire » du *Labyrinthe* (comme en témoignent tant de comptes rendus), l'explication selon laquelle — par empathie, mimétisme, participation émotionnelle — tout spectateur ou lecteur prend d'emblée et obligatoirement une attitude devant tout personnage, même inconnu. Cette identification, sujette à des oscillations, des approches et des reculs (la « distanciation » de Brecht) riches de toutes les nuances affectives projetées sur le personnage (par la résonance de conflits que l'on a soi-même vécus, par exemple), s'accroît à mesure que notre attitude fondamentale de *voyeur* nous tient attachés aux épisodes d'un récit dont l'arrière-fond recèle des significations indécises ou troubles. Le formalisme, ou mieux la *spécificité* des événements, assure que « l'apport » cesse d'être un accident pour devenir la règle imposée par le récit lui-même. Le lecteur agit de concert avec le protagoniste, mais aussi réagit, co-agit avec lui. Au cours de ce transfert, tout ce qu'il attribue au protagoniste est pris pour des données inhérentes au personnage lui-même. Plus ce

(5) Voir *Appendice I* en fin de volume.

dernier est « creux », indéfini, moins l'auteur a cherché à le « remplir » de commentaires ou d'explications, plus le lecteur peut s'identifier avec lui, le « combler » de ses propres angoisses, de ses souvenirs, de ses désirs, le « charger » directement d'émotions (6).

« Intrigue à rien » ? Oui et non. *Dans le Labyrinthe*, plus que tout autre roman de Robbe-Grillet, est une œuvre qui se crée en cours d'écriture, et les « menées secrètes pour aboutir à quelque dessin » sont inhérentes à l'œuvre elle-même. Qualifier cette œuvre d'allégorie de la création littéraire serait commettre une erreur aussi grave que de faire des objets de Robbe-Grillet des symboles au sens propre du mot. Elle est elle-même création : le roman se fait devant nous. On assiste — pour emprunter une autre analogie au langage du cinéma, ou du moins aux titres des films — au *Mystère Robbe-Grillet*. On éprouve simultanément l'angoisse du soldat qui se perd dans son dédale et celle de son créateur qui le façonne et le regarde évoluer. Le livre terminé, le lecteur, aussi soulagé que le narrateur, peut alors se retirer de ces constructions enchevêtrées, se dégager de ces voies emmêlées, de ces inoubliables perspectives de rêve.

Le « robbegrilletisme » ne s'est pas perdu en cours de route : au contraire, il a pris force à ce beau récit, prêt à s'engager sur des chemins nouveaux.

---

(6) Cf. Edgar Morin : *Le cinéma ou l'homme imaginaire*, et G. Cohen-Séat : *Problèmes du cinéma*, passim.

CHAPITRE VI

« MONSIEUR X SUR LE DOUBLE CIRCUIT »
L'ANNÉE DERNIÈRE A MARIENBAD (1961)

« M'introduire dans ton histoire... »
Mallarmé.

« Le désir, image de la chose... »
Maurice Scève.

Avant d'écrire le scénario de *l'Année dernière à Marienbad,* Robbe-Grillet passait aux yeux de nombreux critiques pour un auteur de romans « cinématographiques ». Les rapports de son œuvre avec l'art du film ont d'ailleurs fait l'objet de plusieurs études, qui prennent place dans un vaste effort de critique synthétique : l'analyse des rapports entre film et roman. Il ne s'agit pas ici de faire l'historique de ces rapports, qui remontent à quarante ans et plus. Les lecteurs désireux de mieux connaître les éléments du problème trouveront ces derniers clairement exprimés par Pierre Brodin dans *Présences contemporaines III* (p. 93-97 et 195-199). On doit noter toutefois qu'historiquement, c'est surtout la *poésie visuelle* du cinéma, selon le mot d'Yvan Goll, et aussi son aptitude à exprimer l'*inconscient,* signalée par Pierre Mac Orlan, qui ont d'abord intéressé les littérateurs. A l'époque des films expressionnistes, dadaïstes et surréalistes, truquages, surimpressions, accélérés, ralentis, fondus enchaînés, montages parallèles, cadrages bizarres et déplacements de points de vue ont principalement été considérés par la critique sous l'angle poétique. On reconnaît en même temps à l'image cinématographique une certaine qualité « subjective », en parenté avec cette « cinématographie de la pensée » qu'est le monologue intérieur du roman, et qui autorise à parler de *films intérieurs.* Plusieurs critiques — Eisenstein, par exemple, dans son fameux essai sur les *close-up* et les *fondus* que Griffith aurait trouvés dans les romans de Dickens — attribuent l'origine de certaines techniques filmiques aux inventions des romanciers du passé : les alternances de scènes dans le chapitre des comices agricoles de *Madame Bovary* seraient ainsi une préfiguration du montage parallèle ; d'autres décèlent plutôt une influence des procédés cinématographiques sur la présentation romanesque : ainsi Crémieux affirme en 1927 dans son XXe *siècle* que lorsque Gide, dans *les Faux-Monnayeurs,* écrit : « Le visage de Laura se trouve donc tout près du sien ; il la regarda rougir », il pratique le gros plan.

Dès le début donc, la question cinéma-roman est fort controversée. Elle deviendra, après la publication par Malraux de son *Esquisse d'une psychologie du cinéma* (1939), le sujet de toute une série d'articles et de livres, parmi lesquels on peut citer *Cinéma et crise du roman,* de Claude Jacquier (1), *l'Age du roman américain,* véritable manuel sur la question, écrit par Claude-Edmonde Magny en 1948, et le numéro spécial de la *Revue des lettres modernes* intitulé « Cinéma et Roman » (1958), où le nom de Robbe-Grillet revient presque à chaque page, si grand est « l'insigne intérêt » (G.-A. Astre, p. 4) suscité chez les critiques cinématographiques par des œuvres comme *le Voyeur* et *la Jalousie.* J'ai étudié par ailleurs en détail les opinions souvent contradictoires des auteurs de « Cinéma et Roman » (2). Il suffit de dire ici que le refus d'admettre la différence fondamentale qui existe entre description

---

(1) *Confluences,* numéro consacré aux *Problèmes du roman,* 1943.

(2) « Roman et cinéma : le cas de Robbe-Grillet », *Symposium,* été 1961.

écrite et image visuelle, joint au désir de faire passer l'une pour l'autre, amène la plupart des critiques à établir toute une série de fausses similitudes et d'oppositions inexistantes entre les romans de Robbe-Grillet et les films — imaginaires, bien entendu — auxquels on les compare. Loin de se limiter, comme l'avait fait Roland Barthes lorsqu'il voyait dans *les Gommes* des effets de la « révolution même que le cinéma a opérée dans les réflexes de la vision », à des rapprochements ou des recherches d'équivalents techniques, on semble vouloir considérer un roman comme *le Voyeur* comme un vrai film, quitte à lui reprocher tout de suite après d'être un roman manqué, à cause justement de cette prétendue ressemblance. C'est ainsi que G.-A. Astre peut écrire : « Il n'est pire erreur pour le romancier « s'inspirant » des techniques du film que de vouloir transformer son lecteur en un simple *voyeur* » (p. 16). Il reproche indirectement à Robbe-Grillet de s'appuyer sur une théorie de non-participation du lecteur (ce qui est, bien entendu, totalement faux), laissant supposer que *le Voyeur* relève d'une technique basée franchement sur le cinéma. Michel Mourlet va encore plus loin : il qualifie de « dérisoire » la tentative qu'il croit discerner chez Robbe-Grillet d'essayer « de reproduire par le moyen du langage » les images d'un film, car « le roman tel que le rêve Robbe-Grillet est [...] la paraphrase d'un film » (p. 29). Pour Jean-Louis Bory, non seulement la description de Robbe-Grillet s'approche de la perfection de la photographie — ce qui fera remplacer bientôt des « chapitres entiers par des images » —, mais encore elle ne constitue, à la limite, qu'une technique d'assemblage de photos en album ou en film, gageure qui « est perdue d'avance » (p. 125).

Colette Audry, dans le même recueil d'essais, trouve encore plus à dire sur ce qu'elle appelle « la caméra d'Alain Robbe-Grillet » (p. 131-141). Pour elle, les romans de cet auteur sont paradoxalement à la fois cinématographiques et non cinématographiques : incompatibilité qu'elle résoud en affirmant que la technique robbegrilletienne est une façon particulière de raconter dans un style « typiquement cinématographique » des histoires qui sont au fond « non cinématographiques ». Mais la démonstration que donne C. Audry de l'existence de procédés cinématographiques dans les romans de Robbe-Grillet nous paraît bien pauvre ; elle se borne à décrire quelques scènes du *Voyeur* avec le vocabulaire et les préoccupations techniques du scénariste. Voici un échantillon de sa méthode :

> Il n'est [...] que d'ouvrir *le Voyeur* : L'Appareil, placé quelque part sur le pont, se pose d'abord sur la foule des passagers dont les regards, tournés vers la jetée, signifient une impatience d'aborder [...]. [Mathias] s'aperçoit alors qu'une petite fille est en train de le dévisager fixement. A ce moment commence un lent travelling avant qui nous révèle progressivement la cale en pente [...], le quai perpendiculaire à la cale, tout un paysage géométrique [...].

Voilà qui pourrait, évidemment, devenir un jeu facile ; ce n'est pas autrement, sans doute, que procèdent les scénaristes de Hollywood lorsqu'ils « adaptent » pour l'écran le dernier *best-seller.* On suit plus mal encore C. Audry quand elle affirme, plus loin, que Robbe-Grillet ne cherche pas vraiment à « rivaliser » avec le cinéma, mais ne saurait autrement « accéder à l'existence littéraire ». Que veut dire ceci ? On aimerait croire que C. Audry commence à apercevoir la différence fondamentale qui existe entre description écrite et image visuelle, qu'elle commence à reconnaître la « spécificité » de chaque ordre de création artistique. Mais elle ne s'explique pas plus avant, et le lecteur, comme suite à cette argumentation plutôt embrouillée, serait tenté de conclure avec Jean Duvignaud (3) que Robbe-Grillet échappe à toute influence cinématographique, qu'il cherche « un mode d'expression littéraire absolument pur, absolument débarrassé de tout ce qui peut, de près ou de loin, rappeler le cinéma ».

Il est non moins évident qu'il existe des rapports entre cinéma et roman, des influences mutuelles, des convergences de techniques, des transpositions et des correspondances, toute une réciprocité complexe que la

---

(3) *Arguments,* février 1958.

critique — cinématographique ou littéraire — est amenée de plus en plus à analyser. S'il faut éviter (ce que C. Audry ne fait pas) l'assimilation facile d'un roman à un film, ainsi que le danger des analogies fausses et des parallèles douteux, il n'en est pas moins indispensable de rechercher quels sont les véritables points communs aux deux systèmes d'expression ; par exemple : les rapports entre le mode de présentation adopté par le romancier et les angles de prises de vues choisis par le cinéaste ; la similitude des méthodes de transition entre scènes, qu'on pourrait appeler « modulations » ; la métaphysique enfin, ou l'absence de métaphysique, à laquelle renvoient les structures formelles de l'œuvre. Nul doute que *Marienbad,* en tant que film et que « ciné-roman » (4), ne facilite grandement la prise en considération de ces problèmes (5).

---

(4) L'expression « ciné-roman » remonte au début du siècle : on la trouve en effet dans le numéro du 13-19 septembre 1909 de *Ciné-Journal* (voir Jean Giraud : *Le Lexique français du cinéma des origines à 1930,* Paris, 1958, p. 77).

(5) Je renvoie en particulier le lecteur au numéro d'octobre 1961 de *Premier plan,* où plusieurs auteurs du Nouveau Roman parlent du rôle joué par les mécanismes créateurs du cinéma dans leurs propres œuvres — numéro consacré à Alain Resnais. Je constate avec plaisir que Claude Ollier, par exemple, affirme catégoriquement que « la notion de description n'a pas d'équivalent cinématographique », et qu'il insiste sur la distinction entre structures écrites et images visuelles. D'autres remarques de Claude Simon, Jean Ricardou et Jean Thibaudeau vont à peu près dans le même sens. Ricardou signale les paralogismes de Michel Mourlet que j'ai mentionnés ci-dessus et qualifiés d' « aberration » dans l'article « Roman et Cinéma » cité plus haut. J'écrivais d'ailleurs dans cet article, à propos des images littéraires : « Telle description de mouvements de vagues qu'on prétend typiquement photographique ou cinématographique (dans *le Voyeur*) ne l'est nullement : c'est une structure entièrement littéraire, une vague ou onde propagée par l'organisation des mots, et son effet de « réalité » ne résulte en aucune façon d'une prétendue précision réaliste ou scientifique, car cette réalité n'est nulle part ailleurs que dans l'effet total — littéraire — des mots, des phrases, des arrangements de paragraphes. L'image constitue tout au plus un épiphénomène mettant en valeur, de façon accessoire, une création qui est, d'abord et toujours, du domaine du langage. » A propos de l'idée selon laquelle un roman pourrait être la « paraphrase » d'un film, je posais la question suivante : quels résultats obtiendrait-on si plusieurs auteurs rendaient compte par écrit des images d'un

Plus on progresse dans l'examen comparé des techniques littéraires et cinématographiques, moins le rapprochement paraît fondé. Tout se passe comme s'il existait dans les rapports entre les deux arts une sorte d'équivalent au principe d'indétermination de Heisenberg, selon lequel l'infrastructure du monde est d'autant plus perturbée par les investigations du chercheur que ces dernières sont plus poussées. Si des notions très générales comme *point de vue, retour en arrière, perspective panoramique,* se laissent aisément dégager, si le cinéma semble se prêter facilement à une psychologie objectivée comparable à celle des romans béhavioristes ou phénoménologistes, si l'activité observatrice de « l'œil » de la caméra (comme l'affirme Robbe-Grillet lui-même dans un article de *Cinéma et roman*) encourage le romancier dans sa tentative de nier le point de vue « divin » du narrateur balzacien et de rattacher chaque scène à ce que pourrait voir un « œil humain » placé à un endroit déterminé, si tout cela paraît juste, il faut néanmoins reconnaître qu'examinées dans le détail, toutes ces analogies s'effritent et se confondent. Dans une interview donnée à propos de *Marienbad* par ses deux auteurs, Robbe-Grillet a fait allusion à une suite de « fondus » qu'il avait imaginés vers la fin du film (et qui n'ont pas été retenus au tournage), destinés à relier « deux morceaux de présent », renversant ainsi le procédé normal, où le « fondu » sert à exprimer un changement de temps. Il s'ensuivait avec l'interviewer ce bref échange de remarques :

— Pourtant, dans vos livres, il n'y a jamais l'équivalent d'un fondu.

ROBBE-GRILLET : Ah si, je crois.

---

même film ? N'y aurait-il pas autant de soi-disant « manières cinématographiques » dans leurs descriptions que de romanciers ? C'est un peu le vieux problème du « vrai » réalisme : en principe, les tableaux des peintres « réalistes » devraient tous se ressembler et se confondre avec la réalité. Mais il n'en est rien, car il n'y a pas de style « réaliste » unique et chaque amateur sait distinguer entre un Vermeer et un Courbet ; et la photographie, reconnue « archi-réaliste », ne possède même pas le plus souvent — et presque sans qu'on s'en aperçoive — cette qualité dominante de la réalité : la couleur !

RESNAIS : Je ne crois pas non plus que ce soient des fondus. C'est une phrase qui transforme l'image. Impression que ne donnerait pas un fondu.

(*Les Cahiers du Cinéma,* n° 123, septembre 1961, p. 16.)

Pourquoi ce désaccord entre le romancier et le cinéaste ? Tentons une approche du problème, en nous aidant d'exemples précis. Etudiant les liaisons entre scènes dans les romans de Robbe-Grillet, j'ai souvent signalé ces transitions effectuées par des gestes ou des objets dont certaines analogies de forme ou de charge affective (le plus souvent les deux) servent à relier des images ressortissant à des degrés différents de réalité, ou séparées dans l'espace et le temps « réels ». Dans *la Jalousie,* par exemple, on trouve deux morceaux de temps littéralement « fondus », lorsque Franck pose sur la table de la terrasse un verre « où il n'y a plus trace du cube de glace dans le fond », mais qui, quelques lignes plus loin, et sans aucune indication de changement de temps, se trouve contenir « un petit morceau de glace, arrondi d'un côté » (p. 108-109). De même, lors de l'effacement de la trace laissée par le mille-pattes, le papier du mur de la salle à manger se « fond » — au travers d'un paragraphe neutre qui peut s'appliquer aux deux objets — en une feuille de papier bleu qui est une lettre de A, d'ailleurs également grattée, etc. (p. 131-132). En 1958 déjà, Arnaldo Pizzorusso, dans un compte rendu perspicace (6), identifiait comme une *dissolvenza* ou *sovrimpressione* la transition de la terrasse du café (figurant sur la photo de A) à la terrasse abritée de la maison : « Tous les autres fragments de chaises, discernables sur la photographie, paraissent appartenir à des sièges inoccupés. Il n'y a personne sur cette terrasse, comme dans tout le reste de la maison » (p. 126). Evidemment, l'analogie entre le procédé littéraire employé ici et la technique du « fondu » cinématographique ne saurait être contestée, et s'il existe des « fondus » littéraires, c'est bien dans de tels passages. La réserve de Resnais, pourtant, paraît également

(6) *Letteratura,* janvier-avril 1958, p. 183.

fondée, car l'*impression* (mot clef de la distinction) donnée par la transition littéraire n'est pas identique à celle produite par le « fondu » visuel. C'est toute la différence entre mots et images. L'image visuelle suscitée par le texte écrit n'est en somme qu'*accessoire* à son fonctionnement (comme l'a montré Wiedlé pour des textes aussi prétendûment « visuels » que les *Illuminations* de Rimbaud) : le lecteur peut à la rigueur lire ces passages de *la Jalousie* sans voir d'images subjectives, mais subir néanmoins tout le choc affectif provoqué chez celui qui, en lisant, « visualise » plus ou moins consciemment toutes les phrases. La preuve de ce qui précède — comme du bien-fondé de l'objection de Resnais — réside dans le fait qu'il est impossi-de « visualiser » à la première lecture un paragraphe de transition comme celui cité plus haut (p. 131 de *la Jalousie*), tout au moins avant d'arriver au second objet, au moment où l'on s'aperçoit, après coup, que les mots que l'on vient de lire peuvent également se rapporter à ce dernier.

La critique littéraire se trouve donc actuellement face à un problème nouveau et d'importance : trouver, pour les textes et récits écrits, les termes et les définitions propres à rendre compte de toutes sortes d'analogies avec le cinéma, sans pour autant tomber dans le piège d'une identification ou d'une équivalence qui pourraient nuire à l'étude du roman moderne en l'assimilant d'une façon simpliste à un art d'images visuelles mobiles dont la spécificité le sépare radicalement des techniques de l'écriture. Mais refuser toute analogie serait, à coup sûr, appauvrir l'étude du roman : la publication des scénarios, la multiplication des études comparant les deux genres, l'invention de la forme « ciné-roman », sont la preuve qu'il est grand temps, pour le critique, de s'appliquer à cette tâche.

L'Année dernière à Marienbad est-il un film, un roman, ou les deux à la fois ? Peut-on l'étudier, le juger, en dehors du film ? Pour certains, le livre est difficile, sinon impossible à lire, voire « de faible intérêt [...] pour qui n'a pas vu *Marienbad* » (Bernard Pingaud, *Premier Plan,* n° 18, p. 23). Pour Jean Thibaudeau, le texte publié de *Marienbad* « est, d'une certaine façon, l'extraordinaire roman d'un homme qui invente un film » (*ibid.* p. 34), tout comme *Dans le Labyrinthe* peut passer pour le roman d'un homme qui écrit un roman. Techniquement, le texte du livre est celui d'un « découpage » ou *shooting script* modifié ; c'est-à-dire que le texte, au lieu d'être distribué sur deux pages se faisant vis-à-vis — tout ce qui est son (dialogues, musique, bruits) sur la page de gauche et tout ce qui est image (angles, mouvement de caméra) sur celle de droite —, donne alternativement tous les renseignements nécessaires au déroulement audio-visuel des plans. Lorsqu'on compare le texte du « ciné-roman » au scénario original, on est surpris de constater que l'assemblage des deux parties (qui s'effectue un peu comme la réunion en un seul paquet d'un jeu de cartes préalablement divisé en deux) nuit au fond très peu à l'effet de simultanéité que produit la répartition en deux pages. Pourtant la lecture, rendue beaucoup plus facile par le texte « intégré », crée une impression différente, et le procédé d'assemblage sur une seule page suffit presque à convertir le *film* en *récit.* Comme tout le texte qu'on n'entend pas — tout ce qui n'est pas dialogue — est écrit avec une sorte de précision neutre, presque « sans style » (un peu dans ce style « neutre » que Sartre préconisait autrefois pour le roman), tandis que les dialogues et surtout le long monologue de X qui jalonne l'œuvre du commencement à la fin sont en « beau » style, un style néo-poétique approchant souvent du baroque, on est sensible en lisant le « ciné-roman » à une dualité de ton qui n'existe pas à la vision du film. A l'écran, tout ce qui est écrit en style neutre (descriptions de décor, de mouvements, de gestes et d'actions) est transformé par la caméra en un équivalent visuel poético-baroque qui correspond au style de la musique et des dialogues, ce qui donne au spectacle une unité de ton parfaite. Le lecteur réduit au seul texte imprimé étant censé faire lui-même le travail de mise en scène et de « visualisation », il va sans dire que les résultats seront très dissemblables, incontrôlables même, et que ceux qui ont vu le film auront, sinon un grand avantage, du moins de nombreuses images mentales en commun. Certes, les reproductions photographiques du livre tendent à uniformiser les « visualisations » effectuées par les lecteurs qui n'ont pas vu le film, mais elles ne correspondent pas toutes au texte imprimé (quelques changements ont été faits par le metteur en scène), et de toute façon elles ne peuvent servir de guide que pour un petit nombre de scènes (7).

Puisque *l'Année dernière à Marienbad,* après tout, a été conçu et écrit en vue de la réalisation d'un film, le mieux, nous semble-t-il, est de considérer désormais l'œuvre avant tout sous sa forme cinématographique, et de ne faire intervenir le texte imprimé que lorsqu'il paraît contenir des développements, des précisions ou des oppositions susceptibles d'éclairer le déroulement des images et de la bande sonore.

Peut-on *raconter* l'histoire de *l'Année dernière ?* Nombre de critiques, et Robbe-Grillet lui-même, en ont

---

(7) Je me permets d'évoquer ici mon expérience personnelle, en ce qui concerne ce problème. J'avais, au cours de l'été 1960, lu le découpage de *Marienbad* sur deux pages, au fur et à mesure que Robbe-Grillet l'écrivait, et avant le choix définitif des décors, des lieux de tournage, des acteurs... Naturellement, je m'efforçais de « voir » les images proposées suivant les indications du texte. Lorsque j'ai vu le film, j'ai été frappé par un sentiment de *déjà vu* très prononcé : c'est comme ça que j'avais tout « vu » mentalement auparavant. Plus tard, m'efforçant de mieux analyser ma réaction, je me suis aperçu qu'en réalité je n'avais, avant de voir le film, rien vu du tout, mais seulement gardé en tête des souvenirs de mots (bribes de dialogues, vagues paraphrases de descriptions de lieux), entourés d'une sorte de halo d'images visuelles que le film est venu préciser. Tout cela suggère que le pouvoir de visualisation doit différer grandement d'un individu à l'autre, et chez un même individu de l'état de veille à l'état de rêve. Cette « variable » subjective rend aléatoire toute tentative en vue de préciser les images évoquées par des mots, lorsque ces images ne sont pas stabilisées par de vraies images photographiques ou cinématographiques.

fait un résumé. Mais il existe un véritable fossé entre un résumé et un schéma analytique : plus on essaie de rester fidèle au « déroulement » de l'œuvre, plus on tend vers une reproduction totale du scénario, voire du film lui-même. A distance, une action globale se dessine ; de près, c'est la réalité instantanée des images qui s'impose. Entre les deux, se trouve une vaste zone où l'esprit, opérant par coordination rationnelle, assemblage logique ou application d'une grille préconçue, impose à la suite des scènes un ordre immanquablement arbitraire, quelle que soit l'interprétation proposée (existence ou inexistence d'une « année passée », chronologie et degré de « réalité » des images, localisation des phantasmes chez tel ou tel personnage, etc.). Puisque l'action est conçue non seulement en dehors de, mais par réaction contre des coordonnées de ce genre, on s'aperçoit très vite que toute « explication » se fourvoie dans une impasse. Mais si le fait est avéré, comment Resnais et Robbe-Grillet peuvent-ils prétendre que *Marienbad* est « une victoire du réalisme » ? Nous aurons à revenir sur cette question.

Quant à l'action du film, passons la parole à l'auteur lui-même. Dans sa préface, il nous donne un résumé de l'intrigue qui est le commentaire le plus complet qu'il nous ait jamais fourni sur une de ses œuvres. Voici ce résumé, abrégé :

> Tout le film est en effet l'histoire d'une persuasion : il s'agit d'une réalité que le héros crée par sa propre vision, par sa propre parole. [...]
>
> Cela se passe dans un grand hôtel, une sorte de palace international. [...] Un inconnu erre de salle en salle [...], longe d'interminables corridors. [...] Son œil passe d'un visage sans nom à un autre visage sans nom. Mais il revient sans cesse à celui d'une jeune femme. [...] Et voilà qu'il lui offre [...] un passé, un avenir et la liberté. Il lui dit qu'ils se sont rencontrés déjà, lui et elle, il y a un an, qu'ils se sont aimés, qu'il revient maintenant à ce rendez-vous fixé par elle-même, et qu'il va l'emmener avec lui.
>
> L'inconnu est-il un banal séducteur ? Est-il un fou ? Ou bien confond-il seulement deux visages ? La jeune femme, en tout cas, commence par prendre la chose comme un jeu. [...] Mais l'homme ne rit pas. Obstiné, grave, sûr de cette histoire passée que peu à peu il dévoile, il insiste, il apporte des preuves... Et la jeune femme, peu à peu, comme

> à regret, cède du terrain. Puis elle prend peur. Elle se raidit. Elle ne veut pas quitter [cet] autre homme [...] qui veille sur elle et qui est peut-être son mari. Mais l'histoire que l'inconnu raconte prend corps de plus en plus, irrésistiblement, elle devient [...] de plus en plus vraie. Le présent, le passé, du reste, ont fini par se confondre, tandis que la tension croissante entre les trois protagonistes crée dans l'esprit de l'héroïne des phantasmes de tragédie : le viol, le meurtre, le suicide...
>
> Puis soudain, elle va céder... Elle a déjà cédé, en fait, depuis longtemps. Après une dernière tentative pour se dérober, [...] elle semble accepter d'être celle que l'inconnu attend, et de s'en aller avec lui vers quelque chose [...] l'amour, la poésie, la liberté... ou, peut-être, la mort... (p. 13-14).

L'auteur développe ensuite ses idées sur le cinéma, moyen idéal, selon lui, d'exprimer la « réalité mentale ». Robbe-Grillet insiste sur l'*éternel présent* des images de l'écran, qu'il identifie à ces visions que chacun de nous secrète mentalement, principalement aux moments de grande tension physiologique — ces images du « cinéma intérieur » que nous vivons, composé de souvenirs, de projections de désirs, d'hypothèses et de craintes objectivées, qui font qu'en un certain sens toute communication entre êtres humains se ramène à un *échange de vues* : échange dont le cinéma est précisément en mesure de dévoiler le contenu visuel. Dans l'interview déjà citée (recueillie au magnétophone), Robbe-Grillet revient sur ce point :

> ROBBE-GRILLET : Toute la question est de savoir si l'incertitude qui s'attache aux images du film est exagérée par rapport à celle qui nous entoure dans la vie quotidienne. [...] Pour moi, j'ai l'impression que les choses se passent vraiment de cette façon-là. Il s'agit, entre ces personnages, d'une aventure passionnelle et ce sont justement, pour nous, les aventures qui contiennent la plus grande proportion de contradictions, de doutes, de phantasmes. *Marienbad* est une histoire assez opaque comme nous en vivons dans nos crises passionnelles, dans nos amours, dans notre vie affective. [...] Encore une fois, par souci de réalisme.
>
> (*Les Cahiers du Cinéma,* n° 123, septembre 1961, p. 12.)

Ce qui semble au plus haut point paradoxal, c'est qu'un ouvrage soi-disant réaliste (du moins en ce qui concerne sa psychologie) puisse susciter chez les critiques une telle abondance d'interprétations, ou plutôt de « grilles » interprétatives, dont l'irréalisme flagrant saute aux yeux, rendant presque impossible tout jugement *réaliste,* au sens ordinaire du mot. Resnais lui-même, pourtant gagné aux idées de Robbe-Grillet, s'est non seulement déclaré à plusieurs reprises partisan d'une réalité de l'« année dernière » racontée par X, mais a même laissé publier un schéma qui prétend partager la chronologie des scènes entre une semaine passée et une semaine présente. Nous voyons ainsi d'une part des critiques qui ne sont nullement convaincus du réalisme de l'œuvre se lancer dans des interprétations frisant l'invraisemblance, et d'autre part des critiques qui s'opposent en principe à toute mise en ordre des éléments de l'intrigue succomber à la nostalgie de la chronologie linéaire au point de vouloir induire à tout prix du déroulement des images une histoire « racontable », voire parfaitement conventionnelle (8).

Toutefois, l'« ouverture » aux interprétations proclamée par les auteurs veut qu'on prête attention à tous les commentaires sérieux qui ont été proposés. Résumons donc les plus importants d'entre eux.

Roger Tailleur signale d'abord (9) les coordonnées passé-présent et réel-imaginaire, en fonction desquelles

---

(8) Selon le schéma de Resnais, reproduit d'abord à l'envers dans le numéro 123 des *Cahiers du Cinéma,* puis dans le bon sens dans le numéro 125, p. 48, l'action « présente » se déroule entre un mardi et un dimanche, entrecoupée de *flashbacks* qui vont du lundi au samedi soir d'une semaine « passée », le tout compliqué de quelques retours en arrière à la deuxième puissance et des passages dans une zone « tous temps ». Sans le secours du découpage, il paraît à première vue impossible de raccorder exactement ce schéma au texte de *Marienbad,* mais on comprend que les deux actions, évoquées plus ou moins en montage parallèle, se poursuivent dans un mouvement général « vers le futur » jusqu'à la scène finale. Cela s'accorde bien avec la croyance de Resnais à l'existence réelle de rapports passés entre X et A, croyance qui semble l'avoir guidé durant le tournage. Resnais admet volontiers, pourtant, que le résultat, c'est-à-dire le film achevé, n'exige nullement qu'on partage sa conception de l'intrigue, et que le fameux schéma n'était au fond qu'un instrument de travail.

(9) *Les Lettres Nouvelles,* n° 16, juillet 1961.

toute scène devrait être inscrite selon son « temps » et son degré de réalité. Exprimant sa foi dans « l'élucidation des fondations cachées, des trames secrètes », Tailleur se déclare persuadé que « dans la vie [...] l'homme fait bien la distinction entre l'objectif et le subjectif, le tangible et l'imaginaire, l'actuel et le remémoré ». Il serait donc plutôt d'un avis contraire à celui de Robbe-Grillet lui-même, tel qu'il a été rapporté ci-dessus. Sa version sera-t-elle donc plus proche de l'expérience quotidienne « normale » telle qu'il la décrit, relativement logique et cartésienne ? Nullement : pour Tailleur, l'amant est sincère quand il rappelle à la jeune femme sa promesse passée, et elle est également sincère quand elle ne le reconnaît pas : la raison en serait que X et A ont connu et aimé, quelque part l'année dernière, un sosie de A ou de X ! On se croirait soudain transporté dans le monde artificiel de quelque Marivaux précieux, où l'invraisemblance se cultiverait pour elle-même. Reconnaissons toutefois que Tailleur est le premier à admettre que cette interprétation le satisfait mal, et qu'il passe en revue avec perspicacité, dans le même texte, bien d'autres aspects du film.

Claude Ollier, très averti des intentions de Robbe-Grillet, nous donne un des meilleurs commentaires de *Marienbad*, comportant une liste des types d'images (images-souvenirs, images-désirs, images-prétendûment-souvenirs, etc.) qu'on peut y déceler, et un intéressant parallèle avec le roman de Adolfo Bioy-Casarès, *l'Invention de Morel*, dans lequel le héros essaie de s'insérer dans la vie d'une femme déjà morte, mais qui semble revivre dans une sorte de milieu tridimensionnel — une sorte de cinéma total — qui surgit et se développe autour de lui à intervalles fixes. Parmi la « plurarité de solutions » qu'il reconnaît à l'œuvre, Ollier nous propose celle-ci : X, déjà « certain de son triomphe », doit emmener avec lui la jeune femme sitôt la représentation théâtrale terminée. Lorsqu'il pénètre dans la salle de spectacle, la coïncidence de ses paroles avec le texte de la pièce qui s'y joue déclenche la reproduction automatique de certains événements passés, de telle sorte que X, comprend-on maintenant, rejouait déjà depuis le début du film la suite des scènes que nous avons cru voir se dérouler au présent, et qu'il rejouera encore, indéfiniment, chaque fois qu'il y aura représentation théâtrale à l'hôtel. C'est en insistant sur cette idée de récapitulation cyclique qu'Ollier établit le rapprochement avec le roman de Bio-Casarès. Le fait que la toute première copie du film ne comportait pas le mot « Fin » lui paraît (comme à Tailleur) important à cet égard ; mais le rétablissement du mot « Fin » semble être moins une concession à « l'habitude de la profession » qu'un retour au scénario original de Robbe-Grillet, où il figurait à l'origine.

Pour François Weyergans (10), l'hypothèse la plus féconde est que ce film représente un « rêve », résultat d'un conflit « diurne » plutôt que « nocturne », entre trois personnages qui ne sont autres que « le ça, le surmoi et le moi du même personnage, c'est-à-dire de la femme se débattant entre le principe du plaisir et l'instance morale » ; en somme, une allégorie freudienne (comme le sont tous les rêves) en forme de rêverie, interrompue lorsque le « ça » de la femme la pousse « vers un amant bien réel ». A retenir surtout de ce qui précède, il me semble, la reconnaissance d'un contenu psychiatrique du film, sur lequel j'aurai d'ailleurs à revenir.

Le mérite du schéma d'explication donné par Bernard Pingaud (11) est de présenter d'une manière *formelle,* plutôt qu'anecdotique, l'ensemble des rapports entre les éléments de l'intrigue. Partant du postulat que X a bien rencontré A l'année dernière et qu'elle lui a promis de le suivre dans un an, Pingaud énumère les diverses solutions théoriques du problème de la liaison interne des éléments. A peut, par exemple, avoir oublié X ; X peut se tromper, tout comme A, sur l'identité d'un amant passé (grille Tailleur) ; X secrète le passé par son insistance même auprès de A (un peu

(10) *Les Cahiers du Cinéma,* n° 123, septembre 1961.
(11) *Premier plan,* n° 18, octobre 1961.

comme le dit Robbe-Grillet dans sa préface) ; enfin, l'histoire est entièrement passée lorsque le film débute, et elle se répète théâtralement (grille Ollier). En même temps que ces « variables » à l'intérieur de la trame, Pingaud étudie les décalages à l'intérieur des séquences : images en opposition au récit, phantasmes, etc. En concluant que « *tout* le spectacle est subjectif », Pingaud apporte aux dires de l'auteur lui-même une démonstration très convaincante.

Dans le flot d'articles qui ont paru sur *Marienbad* (l'œuvre la plus commentée jusqu'ici de toute la production de Robbe-Grillet), on distingue d'une part une tendance à souligner l'originalité de sa conception et de sa réalisation, et d'autre part un désir d'en rattacher les procédés cinématographiques aux techniques du passé. On cite très souvent à ce propos *le Cabinet du Docteur Caligari,* un film de l'ancienne « avant-garde » expressionniste, qui ne paraît pourtant pas avoir un rapport étroit avec la question. Gérard Bonnot (12), dans un article gâté par plusieurs erreurs de fait et d'interprétation, retrouve « tout cela » — la déchronologie, l'opposition entre image et son — dans *Sept ans de réflexion* de Billy Wilder. Avec Tailleur, Bonnot proteste contre le prétendu réalisme psychique du film, et pour la même raison : « L'esprit, normalement, continue de distinguer la perception réelle du spectacle imaginaire ». *Marienbad* ne serait donc que le jeu précieux de deux mystificateurs, qui non seulement ne plaident aucune « cause » humaine, mais trahissent même « la possibilité pour l'homme de défendre encore quelque cause que ce soit », et le symbole de ce jeu stérile d'un Dieu contemplateur qui voit tout *sub specie æternitatis* sans jamais intervenir, serait ce jeu d'allumettes dont la popularité chez *Madame Express* et ailleurs constitue pour le critique la preuve évidente de la « sophistication » du film (13).

---

(12) *Les Temps modernes,* n° 187, décembre 1961.

(13) Le retentissement imprévu du « jeu de Marienbad » a en effet provoqué bien des commentaires. Resnais l'a avec raison

Le rapprochement que fait André S. Labarthe (14) entre les techniques de *Marienbad* et celle des films néo-réalistes italiens est à la fois inattendu et suggestif. Pour lui, *Marienbad* est « une œuvre datée », le dernier en effet des « grands films néo-réalistes ». Son argumentation peut se résumer ainsi : le film néo-réaliste, rejetant le scénario classique, y substituait un scénario *ouvert,* où les scènes se suivent souvent sans logique apparente, séparées les unes des autres par des *manques.* Dans *Marienbad,* « mêmes lacunes dans le scénario, même ambiguïté de l'événement, même effort exigé du spectateur ». Ce qui peut sembler paradoxal, c'est que dans les films néo-réalistes on évite en principe tout retour en arrière, tout *flashback* qui pourrait servir à combler ces lacunes, tandis que dans *Marienbad* les retours (vrais ou faux) sont nombreux. Mais, selon Labarthe, ces retours, chez Resnais et Robbe-Grillet (comme dans certains films de Welles) ne sont pas destinés à « effacer la discontinuité du récit » ; ils sont, au contraire, réintégrés dans le présent au même niveau, et avec les mêmes discontinuités, que les scènes du récit fragmentaire qui « se déroule » dans le temps de

---

défini comme une variante du très ancien Jeu chinois de *Nim,* que Robbe-Grillet croyait avoir inventée, tout comme ce monsieur qui, paraît-il, l'ayant fait breveter, voulait intenter un procès aux auteurs du film. Comme on sait, M invite X à jouer, étale seize allumettes sur quatre rangs (7-5-3-1) et oblige X à prendre à tout coup la dernière allumette, donc à perdre. Quant au rapport entre le jeu et le film, on peut y voir, dit Resnais, le fait qu'il faut toujours « prendre une décision », ainsi qu'il incombe précisément à A. On peut former d'autres conjectures : M gagnant lorsqu'il s'agit de logique perd sur le terrain de la passion ; ou encore : quel que soit l'ordre des événements, le dénouement est identique (comme celui du film dont il serait une allégorie interne).

Je ne sache pas qu'on ait expliqué, à propos de *Marienbad,* la règle précise qui gouverne ce jeu. Il n'y a pas de mystère, et il n'est pas nécessaire de procéder empiriquement pour trouver réponse aux différentes situations. Je donne en *Appendice* à ce volume (voir *Appendice II*) l'explication mathématique complète du jeu, avec une brève critique des quelques commentaires qui ont paru dans la presse. Cette explication permettra à quiconque soit de gagner, soit de reconnaître rapidement si le jeu est ou non, pour lui, perdu d'avance.

(14) *Les Cahiers du Cinéma,* n° 123, septembre 1961.

la vision. On ne saurait nier l'ingéniosité de cette idée, qui se révèle néanmoins peu fondée lorsqu'on compare les thèmes, les décors et personnages typiques des films néo-réalistes à ceux de *Marienbad.* La recherche des analogies de technique et de construction entraîne donc Labarthe assez loin du film de Resnais, et son rapprochement, malgré toute son habileté, constitue plutôt un tour de jonglerie critique. Par ailleurs, Labarthe indique très bien quelle base existentielle implicite sert de fondement à la déchronologie du film : « La chronologie d'une histoire n'apparaît plus que comme le dernier préjugé *essentialiste* ».

Si l'on écarte plusieurs autres « explications » plus ou moins allégoriques — mythe de la *Mort* qui a donné, comme dans la légende bretonne, un an de sursis à sa victime, version moderne de l'histoire de *Tristan,* ou du conte du *Graal,* allégorie où palais et jardin représentent la société conventionnelle dont X et A cherchent à s'évader par l'amour-passion —, on est amené à envisager une nouvelle possibilité relativement « réaliste », qui pourrait peut-être accorder l'idée de Robbe-Grillet selon laquelle le film est « l'histoire d'une persuasion » avec la difficulté d'accepter, sur le plan du réalisme, la non-distinction entre « réel » et « imaginaire » qui a troublé tant de critiques. S'il nous faut à tout prix (sans toutefois aller jusqu'à imaginer deux êtres qui ne se reconnaissent pas, ou qui ont déjà oublié une liaison à peine vieille d'un an) conserver une correspondance entre la vie que nous menons « réellement » — comme l'indique Robbe-Grillet dans le texte précité — et le panorama subjectif des images dont on n'arrive plus à identifier exactement le degré de réalité, il importe d'examiner de plus près l'idée de *persuasion,* avec tout ce qu'elle implique de *suggestion,* d'*insinuation,* de *simulation* même. Or, Resnais a expliqué, comme il l'avait déjà fait pour *Hiroshima,* que tous les personnages se trouvent peut-être dans une clinique, et qu'il avait conçu sa mise en scène sous un angle psychiatrique — X psychiatre devant A malade, ou même amnésique vis-à-vis d'un « passé volontairement censuré », avec des couloirs freudiens, des chambres narcissistes et des coups de pistolets signes d'impuissance. Resnais a même qualifié ce décor troublant de mise en scène « qui cherche à mettre le spectateur dans un état légèrement *hypnotique* » (15). Le mot hypnotisme lancé, il convient de se pencher sur cette forme extrême de la suggestion, aujourd'hui un peu « vieillie », qu'est l'hypnose. On trouve tout de suite des rapports et des parallèles très frappants.

Je me limiterai à un seul texte, vieux déjà d'un demi-siècle, *l'Hypnotisme et la Suggestion*, du docteur Grasset (16). Le grand intérêt de cet ouvrage est de présenter toute une série d'aperçus sur les modalités de la suggestion, depuis l'hypnose profonde jusqu'à la persuasion et l'insinuation de la quasi-hypnose à « l'état de veille », qui peuvent expliquer non seulement, dans le cas du personnage de A (et parfois de X), le fonctionnement des images évoquées ou suggérées, mais encore et surtout l'envoûtement exercé sur le spectateur, ou le lecteur, par ces mêmes images, qui se révèlent, à la lumière de ce texte de psycho-pathologie, étroitement liées à des processus mentaux reconnus et identifiés, quoique parfois cachés dans une zone quasi inconsciente du psychisme humain. Même si on refuse d'aller aussi loin que Bernheim, qui voit dans la suggestion « la dynamogénie et l'inhibition psychiques », et qui affirme que « la suggestion, c'est l'action, c'est la lutte, c'est la vie, c'est l'homme et l'humanité toute entière » (cité p. 15), on doit admettre néanmoins, avec plusieurs autorités citées par Grasset, que la ligne de démarcation entre états pathologiques (dans une hypnose profonde, par exemple) et états de suggestibilité plus « normaux » n'est pas nette, et que les procédés de l'hypnose proprement dite ne sont que l'accentuation des procédés qui font que chez certains sujets « malléa-

---

(15) Interview aux *Cahiers du Cinéma*, n° 123, septembre 1961, et aussi article de Bonnot dans *Les Temps modernes*, n° 187, où sont reprises nombre de citations de Resnais et de Robbe-Grillet sur *Marienbad*.

(16) Paris, Octave Doin, 1916.

bles » il est possible, sans véritable hypnose, « de faire naître par voie de suggestion [...] un groupe cohérent d'idées associées qui s'installent dans l'esprit à la manière d'un parasite » (Charcot, cité p. 21), de sorte que, comme disait déjà Janet, « les suggestions, avec leur développement automatique et indépendant, sont de véritables parasites de la pensée » (cité p. 22).

Si donc la suggestibilité est de même nature que le pouvoir hypnotiseur, on peut être tenté d'appliquer l'analyse des états associés à l'état d'hypnose à l'étude des suggestions adressées par X à A dans *l'Année dernière*. A, de par sa malléabilité évidente, son caractère apparemment névropathe et son tempérament légèrement hystérique (les cris, les étourdissements), semble correspondre très bien au « sujet suggestionné » décrit par Binet, qui « n'est pas seulement une personne réduite temporairement à l'état d'automate », mais « en outre, une personne qui *subit une action spéciale émanée d'un individu...* » (cité p. 27). Et les réactions de A au cours de la « persuasion » entreprise par X pour la convaincre de l'existence de leurs relations passées sont autant de démonstrations « vivantes » des observations sur la conduite des suggestibles que l'on trouve en abondance dans le manuel du docteur Grasset. Voici un choix de citations qui peuvent servir de commentaires psychiatriques à certaines scènes du film, avec l'indication des références correspondantes :

L'Hypnotisme et la Suggestion (Grasset)	*L'Année dernière*
Il est des individus si impressionnables aux suggestions que l'on peut les dominer et les contrôler, même à l'état de veille apparente, par une affirmation énergique [...] [et] à qui on donne des hallucinations de vue (p. 73).	Malléabilité ou suggestibilité particulière de A.
Ces sujets [...] sont en état de veille, en ce sens qu'ils ne présentent aucun des signes du sommeil naturel ; mais en réalité, ils sont en état de suggestibilité, *ils sont en hypnose à l'état de veille* (p. 77).	Correspond à beaucoup d'états de la conduite de A, surtout dans la « chambre imaginaire ».

L'Hypnotisme et la Suggestion (Grasset)	*L'Année dernière*
On a déposé dans l'esprit du sujet l'ordre ou la suggestion avec la date de l'échéance ; le sujet a emmaganisé cela et puis, quand l'échéance sonne [...] il s'autosuggestionne (p. 80).	« Je partirai ce soir ... vous emmenant... avec moi... » « Le premier coup de minuit résonne [...] A [...] se lève, comme une automate. »
Dans l'état de fascination, le sujet imite servilement et automatiquement tous les gestes de l'hypnotiseur ; l'état paraphronique est caractérisé par une sorte de délire accompagné de mouvements, d'attitudes, de paroles en rapport avec les conceptions délirantes du sujet [...]. Les sujets, paraissant éveillés, accomplissent les suggestions qu'on leur donne (p. 96-97).	Mêmes actions chez A lorsqu'elle suit, dans une image, les « instructions » de X.
Où êtes-vous ? — Que voyez-vous ? — Vous voilà dans un jardin ou un appartement. Qu'y rencontrez-vous ? — Vous êtes au concert. Qu'entendez-vous ? (p. 112).	Evocations semblables à celles que X adresse à A.
Vous dites au sujet : Vous êtes général ; ou : Vous êtes orateur. Et alors le sujet ne se contente pas de répondre oui, ni de prendre une attitude de général. Mais il *construit tout un petit roman* dans lequel il parle, agit, se comporte comme un général (p. 112). Ces [sujets] bâtissent de véritables *romans,* prenant la suggestion comme point de départ, comme thème (p. 176).	Ce que vit A, n'est-ce pas un *roman* suggéré ?
On a suggéré à un sujet une hallucination qu'on localise sur un cliché photographique ; puis on tire diverses épreuves de ce cliché ; on multiplie par là les provocations de l'image hallucinatoire : chacune des épreuves est vue par le sujet [...] avec l'image suggestive (p. 155).	La photo-preuve donnée à A par X, avec sa *multiplication* postérieure dans la chambre de A (version Resnais).
La suggestion aboutit à des dédoublements et des transformations de *personnalité* (p. 124).	Identité « pirandellienne » de A : est-elle, ou non, celle de l'histoire racontée par X ?
[Lorsque le sujet] n'obéit que lentement [...] l'injonction a besoin d'être répétée avec autorité (p. 129).	Retard de A à prendre les poses décrites par X, dans certaines scènes.

L'Hypnotisme et la Suggestion (Grasset)	*L'Année dernière*
L'illusion peut aller jusqu'à produire une erreur sur l'identité d'une personne... A la voix de l'expérimentateur, le laboratoire devient une rue, un jardin, un cimetière (p. 140).	Idées proposées à A par X.
L'objet imaginaire qui figure dans l'hallucination est perçu dans les mêmes conditions que s'il était réel (p. 145).	La « réalité » apparente de beaucoup de scènes « irréelles ».
La suggestion *verbale* est la plus simple ; on fera naître ainsi une idée qui se traduira par un acte plus ou moins compliqué (p. 173).	Les phantasmes de A relèvent surtout des *paroles* prononcées par X.
[L'expérimentateur] dit à une malade [...] : « Venez avec moi ; nous allons sortir et voyager. » — Et alors, successivement elle décrivait les endroits par où elle passait ; les corridors [...], les détails des lieux que son imagination et sa mémoire également surexcitées, lui représentaient sous une forme réelle (p. 175).	Les visions de A suivant les suggestions de X.
Il y a une *résistance* [...] à la suggestion. Elle s'exerce [...] au moment où on donne l'ordre. Nous avons vu F ne pas vouloir qu'on lui dise qu'elle verra son mari [...]. Cette résistance est commune à toutes les suggestions (p. 243). Elle [est] plus ou moins grande et intervient quand la suggestion heurte ses principes supérieurs, ses idées élevées, [...] sa conscience morale (p. 388).	Cf. surtout la fameuse scène dans la chambre où A (remarquez que les cas individuels s'appellent aussi « A », « F », etc. dans les manuels) refuse d'obéir à la voix de X qui dit : « Vous êtes retournée vers le lit... Vous êtes retournée vers le lit. »
Le sujet s'attache à l'hypnotiseur... Non seulement il devient son esclave, mais son esclave [...] amoureux. [...] L'hypnose fait naître « une passion violente et une attraction presque irrésistible, chez le sujet hypnotisé, à l'égard de son hypnotiseur » (p. 301).	C'est le transfert que projette A sur X.
[Il arrive que] l'hypnotiseur abuse de l'hypnose du sujet pour commettre sur lui [...] l'attentat aux mœurs, le viol. Une jeune fille ou une femme peut-elle, par l'effet de l'hypnotisme, être mise dans l'impossibilité de résister à un viol ? Je crois qu'on peut [...]	Dans la version de Robbe-Grillet (scénario publié, p. 156), A est l'objet d'une « rapide et brutale scène de viol ». C'est le point culminant de l' « intrigue », remplacé dans le film par

L'Hypnotisme et la Suggestion (Grasset)	*L'Année dernière*
répondre : oui. [...] Il suffira qu'elle soit, je ne dis pas hystérique, mais névropathe et disposée à l'hystéric pour que [l'expérimentateur] la mette dans l'incapacité absolue de résister au crime commis sur elle (p. 372-373). La chose est possible, sans dire avec Bernheim que « la séduction d'une honnête femme n'est au fond que de la suggestion » (p. 374).	une scène oscillante, spasmodique, « blanche », où A s'abandonne à son séducteur. (C'est le grand point de désaccord entre scénario publié et film.)
[Parfois] c'est inconsciemment que le sujet accuse de viol, il ne trompe qu'en se trompant, il prend une hallucination pour la réalité (p. 378).	Le viol peut n'être qu'un phantasme de A (Robbe-Grillet : « la tension [...] crée dans l'esprit de l'héroïne des phantasmes de tragédie : le viol, le meurtre... » p. 14).
Sous forme d'auto-suggestion [...] tous les fous deviennent des suggérés (p. 385).	X est peut-être un auto-suggéré ? (Robbe-Grillet, p. 13 : « Est-il un fou ? »).
Un sujet peut *mentir* ou *tromper par son témoignage* [...]. Il peut avoir [...] une amnésie complète. [...] Cette amnésie rétroactive peut être le point de départ de faux témoignages [...], [de] réponses contraires à la vérité [...], [de] dénonciations et auto-accusations mensongères de *crimes imaginaires* (p. 394-395).	Cf. la scène du « meurtre » de A par M, etc.
Les états physiologiques qui se rapprochent plus ou moins de l'hypnotisme [...] sont : l'enseignement et la *persuasion*... (p. 414).	« L'histoire d'une persuasion. »
La suggestion, phénomène involontaire et inconscient, ne peut-elle pas être distinguée de la *simulation,* volontaire et consciente ? [...] Sur la simulation et la mythomanie chez les hystériques Brissaud a dit : « mais, quelqu'un ici peut-il affirmer qu'on puisse reconnaître ce qui est simulation *consciente* ou simulation *inconsciente* ? [...] La différence entre la supercherie consciente et la supercherie inconsciente me paraît impossible à établir » (p. 416).	Les « simulations » du passé chez X et A sont-elles parfois « insincères », délibérément inventées, etc. ?

L'Hypnotisme et la Suggestion
(Grasset)

L'hypnotisme et la suggestion « jettent sur la vie de l'esprit une lumière bien plus vive que les plus volumineux ouvrages de l'ancienne psychologie » (Buchner) (p. 427).

On peut aussi, par la suggestion, *fausser la mémoire* du sujet, lui suggérer *le souvenir de choses irréelles,* lui donner une hallucination rétroactive, ce que Forel appelle un « souvenir illusoire rétroactif... » (p. 260).

On donne au sujet une hallucination rétroactive, on *crée* ainsi chez lui un souvenir illusoire et alors *il a réellement vu* des faits qui n'ont jamais existé... (p. 396).

L'Année dernière

Robbe-Grillet : « Jai l'impression que les choses se passent vraiment de cette façon-là » (c'est donc le « vrai » réalisme mental).

« Il s'agit d'une réalité que le héros crée par sa propre vision, par sa propre parole. »

Répétons que l'objet de ces rapprochements n'est nullement de fournir une clef objective à *Marienbad,* mais uniquement d'établir par des correspondances précises le bien-fondé de la psychologie inhérente à l'œuvre. Il ne s'agit pas, bien entendu, d'un vrai hypnotiseur et de son sujet, ni même, au sens strict, d'un psychiatre (ou expérimentateur mythomane) en présence d'une victime suggestible. Tous les problèmes antérieurement posés demeurent, à l'exception peut-être de celui de l'absence de distinction (soulignée surtout par Bonnot et Tailleur) entre réel et imaginaire, distinction qui se révèle être, dans des états de suggestibilité qui ne sont pas forcément anormaux, beaucoup moins nette qu'on ne pense,

La plupart des « clefs » proposées pour expliquer l'intrigue sont vouées à l'échec pour la simple raison qu'elles cherchent à appliquer les grilles d'ambiguïté *externe* à une œuvre dont l'ambiguïté est *interne.* Les drames de Pirandello, par exemple, qui peuvent au prime abord paraître assez proches de *Marienbad,* sont surtout basés sur une ambiguïté extérieure aux personnages : même si on ne détermine jamais clairement si la femme de Frola, dans *Cosi è se vi pare, est* « vraiment » sa femme, la solution reste du domaine des événements ambiants. Dans *l'Année dernière,* au contraire, l'ambiguïté n'est pas de ce type : elle réside dans la conscience même des personnages. Ce n'est donc pas une « solution » extérieure qui peut mettre en valeur la trame, mais bien *la vraisemblance des états de conscience évoqués,* en dehors de toute « intrigue » objective. Quand Robbe-Grillet parle de « réalisme mental », quand Resnais affirme qu'il cherche plutôt à rendre des « sentiments » que des personnages, cela signifie que toutes ces images apparemment contradictoires, chaotiques, « ouvertes » à de multiples interprétations, n'en correspondent pas moins à des états d'esprit possibles et donc même probables, dont le spectateur ou le lecteur reconnaît, consciemment ou inconsciemment, la vérité psychologique. Une telle conception définit clairement l'œuvre comme un drame de la persuasion et de la suggestibilité, dans lequel sont introduits et organisés (selon des procédés esthétiques à analyser) de nombreuses séquences d'images mentales — insinuation, résistance du sujet, souvenirs illusoires, phantasmes objectivés, scènes de meurtre et de viol — qui donnent à *Marienbad* une « charge » psychique riche et violente.

Dès lors, l'étude de la structure de l'œuvre peut se limiter à l'analyse des principaux procédés utilisés pour l'enchaînement des scènes, les liens entre dialogues et images, et la distribution des éléments thématiques. Comme la plupart de ces techniques sont celles-là même qu'on trouve déjà dans les romans de l'auteur, on est encore une fois ramené, et très précisément, au problème si controversé des rapports entre roman et cinéma : ou bien Robbe-Grillet employait déjà dans ses livres des techniques cinématographiques, ou bien il utilise dans son premier film des techniques littéraires — ou encore, il a réussi à trouver, pour son film, des « équivalents » exacts de ses procédés romanesques.

Tout d'abord, *Marienbad* reste, en dépit d'une facture baroque qui s'impose à l'œil (images nettes, luisantes, comme vernies, entrecoupées de scènes « blanches » surexposées), une œuvre vibrante, lyrique même, qui nous soumet à une sorte d'envoûtement *littéraire*, dû surtout aux tirades de X, qui, de sa voix théâtrale, mais retenue, guide le flot du récit et lui imprime, en même temps qu'un rythme lent et majestueux, une impressionnante unité de ton. C'est le monologue de X qui prépare dès le début à la déchronologie du récit (« Une fois de plus, etc. ») et qui, se fondant avec le texte de la pièce de théâtre, lie l'ambiguïté intérieure du thème à l'action à venir ; et aussi des bribes de conversation, qui introduisent (qui « plantent », comme on dit en anglais) des sortes de motifs musicaux, des éléments mélodiques, qui seront repris et orchestrés par la suite. Ces parallèles ou analogies internes sont parfois comme un résumé à peine déguisé du film :

> UN HOMME, puis UN AUTRE HOMME [...] : Vous ne connaissez pas l'histoire ? [...] On ne parlait que de ça, l'année dernière. Frank lui avait fait croire qu'il était un ami de son père et qu'il venait pour la surveiller. C'était une surveillance plutôt bizarre, bien entendu. Elle s'en est rendue compte un peu tard : le soir où il a voulu pénétrer [...] dans sa chambre, comme par hasard, et sous un prétexte d'ailleurs absurde : il prétendait lui donner des explications sur les tableaux anciens qui se trouvaient chez elle... Mais il n'y avait pas un seul tableau dans la chambre [...] (p. 43).

De même, l'épisode du talon brisé (noter le fétichisme sexuel) figure d'abord dans des allusions verbales (une phrase prononcée « au hasard », p. 42, une autre de X, p. 89) avant de se dérouler effectivement sous nos yeux (p. 128). Intercalée dans cette « série », on voit une scène où A tient ses chaussures à la main (p. 82). Sans pousser plus loin l'examen de ce prcoédé, on peut dire que, de façon générale, chaque événement d'importance se trouve plus ou moins commenté par avance, de sorte que le spectateur voit presque toujours les épisodes présents sous l'effet de quelque suggestion antérieure créant un sentiment quasi inconscient de *déjà vu.* Ainsi, le spectateur devient lui aussi, dans une certaine mesure, « victime » de la persuasion de X, qui l'alimente en faux souvenirs « rétroactifs ».

Le regard de X, tout autant que sa voix, établit un lien entre les images du film. Le long travelling initial, avec son commentaire *off*, impose un mode de « caméra subjective » qui est en rapport étroit avec le texte subjectif de *la Jalousie* ; ce procédé ne tombe jamais, dans *Marienbad,* dans les excès puérils de *la Dame du lac,* de Robert Montgomery, où le personnage-caméra montre ses mains, fume une cigarette dont on voit s'élever la fumée, etc. Mais le regard de X n'est nullement exclusif ou omniprésent : la caméra endosse souvent le point de vue de A, réel ou imaginaire, ou d'un personnage accessoire (voir p. 42, par exemple), ou même d'un personnage inexistant, placé à un endroit impossible (lorsqu'elle plane au-dessus de la statue). Elle s'associe souvent aux personnages, se place à côté d'eux, leur fait vis-à-vis, s'avance avec eux ou recule devant eux. Loin de se limiter à la règle stricte d'une caméra-observatrice se substituant à l'œil humain, Robbe-Grillet — et Resnais avec lui — déplace l'objectif avec une grande liberté, mais cette liberté est toujours en accord avec la subjectivité foncière de l'œuvre. Dans le domaine mental, aucune loi de vraisemblance perceptive n'exige qu'on maintienne le point de vue d'un observateur fixé au sol, immobile, ou même présent. La « vision » intérieure peut prendre des formes allant à l'encontre des perspectives d'un tiers témoin, défiant même le temps et l'espace — sans pour autant redevenir ce « point de vue de Dieu » auquel Bonnot voudrait l'identifier, car il s'agit vraiment ici de la mise en scène d'une vision psychologique.

Une étude détaillée des liaisons de scène — il y en a peut-être deux ou trois cents dans le film — exigerait un ouvrage plus long que le scénario lui-même. Ce qu'il faut surtout souligner, c'est que, comme dans ses romans, Robbe-Grillet ne fait jamais de transition arbitraire. Le chaos que certains critiques ou spectateurs croient y voir n'est aucunement une illustration de quelque métaphysique de la discontinuité ; au contraire, chaque image est liée à la précédente, et à la suivante, par un rapport formel strict. On ne saurait dire de même que les séquences s'enchaînent au hasard, comme ces rangées de dominos qui, tout en obéissant aux lois du jeu, prolifèrent en un labyrinthe invraisemblable et « inutilement compliqué » (p. 149). Tout progresse vers un point culminant de tension dramatique, qui se situe vers les trois quarts du film : le grand travelling « blanc », suivi de la scène de viol — ou d'abandon — dans la chambre de A. Après quoi, exactement comme dans *la Jalousie,* l'œuvre retrouve son rythme antérieur, plutôt lent.

Entre autres procédés de liaison et de « modulation » des scènes, on peut citer : le « fondu » de voix (la voix de X devient celle du comédien, p. 31) ; l'alternance de champ et de contre-champ, souvent déterminée par la direction du regard (cf. p. 42) ; un bruit commun (le verre brisé, le rire de A) ; l'écoute (cf. p. 49 : A tourne la tête « comme quelqu'un qui chercherait d'où est venue la phrase que l'on vient d'entendre », et la caméra montre « ce que A vient de voir, dans diverses directions ») ; les suggestions énoncées par X, suivies d'un délai plus ou moins long dans l'exécution, d'un décalage entre les paroles de X et les réactions de A (p. 69, par exemple, quand A se tient devant la balustrade) ; la rotation de la caméra ; les travellings, où souvent deux morceaux de temps « différents » se trouvent liés par l'apparente continuité du mouvement visuel (p. 60) ; les enchaînements (souvent faux) en réponse à des bribes de conversation (p. 52) ; les raccords par sons associés (les coups de pistolets, les pas sur le gravier) ; les phantasmes déclenchés par des incitations suggestives (un peu partout, cf. p. 93 et autres) ; les rapprochements d'objets (les morceaux de verre et les jetons de poker, p. 96) ; les phrases communes (« c'est tout à fait impossible », se rapportant tantôt au jeu des allumettes, tantôt au refrain de A, tantôt à la glace en été) ; les liaisons *a posteriori,* comme la ressemblance, sinon l'identité, entre le jardin « réel » découvert à la fin par A (p. 126) et le jardin tel qu'on l'a déjà vu « en imagination » à plusieurs reprises ; les liaisons fondées sur une émotion, surtout la *peur* (p. 131), ou une violente *négation* (la série des « non ! », p. 130-138) ; les modifications de décor, comme celui de la chambre de A, plus ou moins chargée de détails baroques selon l'intensité émotionnelle de la scène, plus ou moins conforme à la description qu'en donne X selon le degré de persuasion où est entraînée A ; enfin, ce qu'on peut nommer des liaisons par opposition, ou décalage, entre description verbale et visuelle, où la tension réside dans le refus de A à suivre les suggestions de X, auxquelles elle ne cédera que plus tard, par étapes. Jusqu'aux transitions dites « brusques » dans le texte, où le changement de scène s'explique par une émotion implicite ou cachée, tout, dans *Marienbad*, se tient, pour donner à l'écoulement des images un élan continu, irrépressible.

On peut voir dans *l'Année dernière à Marienbad* le prolongement et l'aboutissement des techniques romanesques de Robbe-Grillet, accompagnées de (ou transformées en) procédés cinématographiques qui les étayent et les renforcent. Scènes fausses et hypothèses objectivées du *Voyeur*, univers subjectif converti en perceptions objectives de *la Jalousie*, avec sa détemporalisation des états mentaux, son mélange de souvenirs (vrais ou faux), d'images-désirs et de projections affectives, « fondus » des images du *Labyrinthe* — tout cela se retrouve et atteint son plus haut point d'application dans *Marienbad*. Le thème de la création intérieure, lié à l'idée d'un personnage suggestible subissant cette création, autorise l'utilisation d'une psychologie implicite : les données extérieures de la pseudo-intrigue (existence ou inexistence d'une année passée, fausse identité de A ou de X, refus du souvenir ou amnésie traumatique, etc.) ne sont là que pour étayer les supports réalistes nécessaires à l'extériorisation des sentiments, des émotions, des visions, des faux souvenirs.

Le travail du spectateur comme celui du lecteur devient de plus en plus partie intégrante de la création cinématographique ou romanesque. « L'heure du lecteur » que José-Maria Castellet annonce pour le nouveau roman s'accompagne désormais de « l'heure du spectateur » pour le cinéma nouveau. L'effort de collaboration, jamais absent d'une œuvre artistique, s'accentue : non pas dans le sens de ce déchiffrage de l'hermétique qu'exige la poésie de Rimbaud ou de Mallarmé, où la recherche de la solution, ou des explications multiples, constitue une condition préalable à la compréhension de l'œuvre, mais dans le sens d'une participation au fonctionnement du roman ou du film. Le lecteur, le spectateur de *l'Année dernière à Marienbad,* et sans doute des films futurs de Robbe-Grillet, ressemblera moins à l'auditeur de concert qu'à l'exécutant lui-même. Face aux structures compliquées, aux images souvent oniriques de *Marienbad,* le spectateur devra, sans se préoccuper de leurs rapports externes — spatiaux, chronologiques, anecdotiques — non seulement succomber à leur pouvoir de suggestion, mais encore les charger de toute l'affectivité de son psychisme propre. L'œuvre de Robbe-Grillet n'est pas seulement une œuvre *créée,* elle est aussi, et c'est là peut-être son aspect le plus neuf et le plus important, une œuvre *créatrice.*

APPENDICE I

CHRONOLOGIE ET NOUVEAU ROMAN

En dehors de quelques études récentes sur l'organisation chronologique du roman (comme *Temps et Roman,* de Jean Pouillon, et l'article de Jean Onimus sur « L'expression du temps dans le roman contemporain », paru dans la *Revue de littérature comparée,* juillet-septembre 1954), le lecteur pourra consulter avec profit les recherches sur les antécédents des procédés modernes effectuées par A. Mendilow dans son très riche ouvrage : *Time and the Novel,* London, Peter Nevill, 1952. Bien que Mendilov examine le problème du point de vue principalement dans les œuvres de fiction anglaises (de Sterne à Virginia Woolf), son étude dégage les grandes lignes d'une progression constante dans la déchronologie, liée à un effort pour mieux pénétrer dans le *dedans* — ou *infraconscience* — psychologique. Il apparaît toutefois une différence essentielle entre les techniques utilisées par les auteurs du passé (inversion, *time-shift,* montage alterné) et celles propres à Robbe-Grillet et à d'autres romanciers comme Claude Simon : c'est que chez ces derniers le travail de reconstruction incombant au lecteur est non seulement plus difficile, mais d'un ordre différent. Le fait est qu'il n'est presque plus possible dans *la Jalousie* (c'est un peu plus facile dans le *Labyrinthe,* mais moins encore dans *l'Année dernière à Marienbad*) de reconstruire une chronologie, au sens où l'on arrive à reconstruire celle de Sterne, par exemple : les multiples « impasses » chronologiques, l'introduction de scènes fausses, de scènes « présentes » contenant des éléments « futurs », d'hypothèses objectivées, etc., enrichissent le « continuum » espace-temps des romanciers du *stream of consciousness* ou du monologue intérieur d'un nouvel apport de « réalité » problématique. Plutôt que de rechercher une vérité intérieure, Robbe-Grillet, de plus en plus, crée une vérité nouvelle, où « rien n'est plus vrai que le faux », établissant ainsi une nouvelle synthèse des opposés « baroques » de l'*être* et du *paraître* (Georges Raillart étudie dans le tome 14 des *Cahiers de l'association internationale des études françaises,* 1962, « quelques éléments baroques dans les romans de Michel Butor » ; on ferait une étude intéressante sur les rapports entre Robbe-Grillet et le baroque). On peut également appliquer à l'œuvre de Robbe-Grillet, surtout à *Dans le Labyrinthe,* certaines remarques de R.M. Albérès dans *Portrait de notre héros,* étude sur le roman actuel qui formulait déjà, en 1944, plusieurs principes du « nouveau roman ». Attribuant à l'influence de Bergson, entre autres, le goût des romanciers pour le détail absurde et l'unicité de chaque univers fictif, Albérès écrit : « C'était pour le roman l'acquisition d'une nouvelle dimension. Maître de se mouvoir dans le temps et l'espace, il devenait libre de modifier le réel. [...] Avec Bergson naissait le roman *irréaliste,* et devenaient possibles aussi d'infinies nuances non plus morales, mais matérielles, dans la vision du monde. [...] Le décor lui-même obéit à la personnalité de l'auteur. [...] L'écrivain devant sa table cesse par artifice d'être dans l'état de maîtrise qui est propre à l'action, et se confie à l'attitude du rêve ou de la folie » (p. 142). Si le « vrai » auteur du *Labyrinthe* reste à l'extérieur de son œuvre, dans un « état de maîtrise » à l'égard de son roman, le narrateur intérieur, lui, semble bien correspondre à l'image bergsonienne qu'en donne Albérès. Personne, en tout cas, ne peut nier que dans les romans de Robbe-Grillet le décor, comme les modalités de sa description, apparaît étroitement lié non seulement aux personnages créés par l'auteur, mais aussi à la personnalité même de leur créateur.

APPENDICE II

NOTES SUR LE JEU CHINOIS DE NIM

Règle générale du jeu classique : on établit autant de rangées qu'on veut, avec, dans chaque rangée, autant d'allumettes qu'on veut. Le premier à jouer, disons A, prend dans n'importe quelle rangée n'importe quel nombre d'allumettes, de 1 à n (soit, s'il le veut, la rangée entière). B joue ensuite suivant la même règle. Dans le jeu classique, celui qui prend la dernière allumette gagne (on examinera plus loin la règle inverse de *Marienbad*).

D'après la théorie qui gouverne le jeu, on distingue deux sortes de situations : correcte ou incorrecte. Une situation correcte est celle qui, laissée à l'adversaire, vous assure le gain de la partie (ce peut être celle du début).

Pour savoir si une situation est correcte ou non, il faut d'abord exprimer le nombre d'allumettes qui se trouve dans chaque rangée suivant le système de la notation binaire. Ce système ne comprenant que les chiffres 1 et 0, on compte de la façon suivante :

1	s'écrit	0001	5	s'écrit	0101	9	s'écrit	1001
2	»	0010	6	»	0110	10	»	1010
3	»	0011	7	»	0111	11	»	1011
4	»	0100	8	»	1000	12	»	1100

... et ainsi de suite.

Lorsqu'on a exprimé en nombre binaires la quantité d'allumettes dans chaque rangée, on procède à une opération qui ressemble à l'addition en chiffres ou nombres décimaux, mais n'est en réalité qu'une détermination de la *parité* de chaque colonne. Si le résultat pour chaque colonne est un nombre pair (ou un 0), la situation est correcte, et le joueur qui va « prendre » ne peut gagner. Si, au contraire, « l'addition » indique une ou plusieurs colonnes impaires, la situation est incorrecte et celui qui va jouer peut gagner, à condition bien entendu de toujours laisser à son adversaire une situation correcte.

Et il peut certes remplir une telle condition, car dans le système binaire, chaque fois qu'on remplace un nombre par un autre plus petit, on change nécessairement la parité d'au moins un des chiffres. Celui qui prend, sur une situation correcte, rend cette dernière obligatoirement incorrecte. En revanche, celui qui prend, sur une situation incorrecte, peut toujours convertir cette dernière en situation correcte, donc gagner. En général, la position initiale est incorrecte, et le premier à jouer doit gagner. Mais il perd si la position originelle est correcte, comme c'est le cas dans le jeu de *Marienbad*.

Le jeu de *Marienbad* est une variante du jeu de Nim, dans laquelle celui qui prend la dernière allumette perd. La théorie reste la même, à condition qu'il y ait au moins une rangée qui contienne plus d'une allumette. En fait, sauf pour la position 1-1-1, on peut calculer d'après le système décrit ci-dessus. « Celui qui prend la dernière allumette perd » n'est donc pas une inversion du jeu, et les différences n'apparaissent que tout à la fin de la partie.

Voici, à titre d'exemple, le calcul en notation binaire de quelques situations qui peuvent se présenter dans le jeu de *Marienbad* :

1-3-5-7	1-3-4-7	1-2-3
0001	0001	0001
0011	0011	0010
0101	0100	0011
0111	0111	
0224 (correct)	0223 (incorrect)	0022 (correct)

... et ainsi de suite.

Il se trouve que dans la « famille » des arrangements dont le jeu de *Marienbad* fait partie (où l'on augmente le nombre de chaque rangée de deux unités), ce dernier est le seul qui ne soit pas gagnant pour le premier à jouer :

1-3-5	1-3-5-7 (Marienbad)	1-3-5-7-9	1-3-5-7-9-11
0001	0001	0001	0001
0011	0011	0011	0011
0101	0101	0101	0101
	0111	0111	0111
		1001	1001
			1011
0113	0224	1225	2236
(incorrect)	(correct)	(incorrect)	(incorrect)

On voit aussi que le nombre de rangées n'est nullement un facteur déterminant.

On peut vérifier la précision absolue de ce système de résolution en l'utilisant pour trouver une réponse « gagnante » dans une situation incorrecte très compliquée, telle que : 4-9-15-21-29. Exprimons ces nombres en chiffres binaires :

4-9-15-21-29

00100
01001
01111
10101
11101

23414 (incorrect)

Il s'agit donc de rendre paires la deuxième et la quatrième colonnes, sans rendre impaire une autre colonne. Or, le nombre 23, exprimé en chiffres binaires, retire une unité de la colonne deux et en ajoute une à la colonne quatre :

4-9-15-21-23

00100
01001
01111
10101
10111

22424 (correct)

La réponse « gagnante » consiste donc à enlever 6 allumettes de la dernières rangée.

Ces calculs, malgré leur complexité apparente, sont au fond assez simples, et montrent bien qu'il ne s'agit nullement d'un vrai « jeu », mais d'une certitude mathématique qui fait que la partie est toujours ou gagnée ou perdue d'avance.

Quelque temps après la rédaction de ces notes, on m'a signalé la page du numéro de novembre-décembre de *Cinéma 61* où Pierre Billard présente une explication du jeu de *Marienbad* au moyen des nombres binaires, ainsi que celle du numéro d'avril de *Cinéma 62* où Jacques Brunius lui répond. Pierre Billard a limité sa discussion au seul jeu de *Marienbad,* sans tenir compte de l'universalité du système, et les difficultés dont fait état Brunius relèvent en partie du laconisme de l'article qu'il critique. Selon Brunius, l'explication de Billard ne tient pas compte de la situation 1-1-1, ce qui est vrai, car Billard n'explique pas que la condition « celui qui prend la dernière allumette perd » nécessite un comptage direct à partir du moment où il n'y a plus une seule rangée contenant plus d'une allumette (voir ci-dessus). De plus, Brunius objecte que l'addition des colonnes en chiffres décimaux trahit le système binaire, qui ne connaît que les chiffres 1 et 0 ; c'est encore exact, mais, comme il est expliqué plus haut, ce n'est pas une vraie « addition », mais une simple détermination de la parité des colonnes, condition qui n'a rien à voir avec le système décimal. L'objection la plus sérieuse de Brunius est toutefois que le procédé par le calcul binaire explique « comment » on gagne, mais non « pourquoi ». Ici, il convient de répondre que l'opération par le calcul binaire n'est qu'une mise en évidence particulièrement aisée de l'idée de parité qui est à la base du jeu. Tout le monde, lorsqu'il arrive au stade final (comme, par exemple, 1-1-1-1 ou 1-1-1), voit clairement que c'est le nombre de rangées qui détermine le gain de la partie ; or, le système binaire permet de projeter dans des situations très compliquées l'idée fondamentale de parité qui règle d'avance le résultat d'une partie donnée. En conclusion, comme l'article de Billard ne donnait pas tous les renseignements nécessaires, les objections de Brunius sont sans fondement.

OUVRAGES ET ARTICLES A CONSULTER

Cette bibliographie succincte ne fournit que des titres d'articles et de numéros de revues revêtant un intérêt particulier, soit pour leur importance dans l'évolution de la critique robbe-grilletienne, soit pour leur contribution à la compréhension de l'œuvre étudiée. On trouve, au cours des chapitres précédents, d'autres références. Mais une liste bibliographique complète des comptes rendus, essais et études consacrés à Robbe-Grillet, en France et à l'étranger, contiendrait déjà, en 1962, plusieurs *centaines* de commentaires. Les titres sont donnés dans l'ordre chronologique.

Bernard DORT, « Le Temps des choses », *Cahiers du Sud*, n° 321 (janvier 1954).

Roland BARTHES, « Littérature objective », *Critique*, juillet-août 1954.

Maurice BLANCHOT, « Notes sur un roman : *Le Voyeur* ». *N.N.R.F.*, juillet 1955. (Repris dans *Le Livre à venir*.)

Jean-Michel ROYER, « Le Voyeur accéléré », *Les Lettres nouvelles*, juillet-août 1955.

Bernard DORT, « Le Blanc et le Noir », *Cahiers du Sud*, n° 330 (août 1955).

Roland BARTHES, « Littérature littérale », *Critique*, septembre-octobre 1955.

Gaëton PICON, « Le Problème du *Voyeur* », *Mercure de France*, octobre 1955.

François MAURIAC, « La Technique du Cageot », *Le Figaro littéraire*, 28 juillet 1956.

Robert POULET, « Alain Robbe-Grillet et le roman futur », *Rivarol*, 8 novembre 1956.

Robert CHAMPIGNY, « In Search of the Pure Récit », *American Society Legion of Honor Magazine*, hiver 1956.

Bernard PINGAUD, « Lecture de *la Jalousie* », *Les Lettres nouvelles*, juin 1957.

Bernard DORT, « Sur les romans de Robbe-Grillet », *Les Temps modernes*, juin 1957.

José-Maria CASTELLET, « De la objetividad al objeto », *Papeles de Son Armadans*, juin 1957.

Philippe JACCOTET, « Remarques sur une nouvelle forme romanesque », *La Gazette de Lausanne,* 25 mai 1957.

Gaëtan PICON, « Du roman expérimental », *Mercure de France,* juillet 1957.

Maurice-Jean LEFÊBVE, « *La Jalousie* », *N.N.R.F.*, juillet 1957.

José-Maria CASTELLET, *La hora del lector,* Barcelona, 1957 (contient un chapitre sur Robbe-Grillet).

Arnaldo PIZZORUSSO, « Un romanzo di Alain Robbe-Grillet : *La Jalousie* », *Letteratura,* janvier-avril 1958.

« Le Roman d'aujourd'hui », dans *Arguments,* février 1958. Articles de Roland Barthes, Bernard Pingaud, Jean Duvignaud.

« Le Nouveau Roman », numéro spécial d'*Esprit,* juillet-août 1958. Articles de Olivier de Magny, Bernard Pingaud, Bernard Dort, Jacques Howlett, Luc Estang, etc.

« Cinéma et Roman », numéro spécial de *la Revue des lettres modernes,* été 1958. Articles de G.-A. Astre, Jean Duvignaud, Michel Mourlet, Colette Audry, J.-L. Bory, Ph. Durand, etc.

Claude MAURIAC, *L'Alittérature contemporaine,* Paris, Albin Michel, 1958.

Renato BARILLI, « La narrativa di Alain Robbe-Grillet », *Il Verri,* III, 2 (janvier 1959).

« Midnight Novelists », numéro spécial de *Yale French Studies,* été 1959. Articles de René Girard, Bernard Pingaud, Bernard Dort, W. M. Frohock, Germaine Brée, Jacques Guicharnaud, etc.

Jean-A. ALTER, « The Treatment of Time in Alain Robbe-Grillet's *La Jalousie* », *C.L.A. Journal,* III, 1 (septembre 1959).

Bernard PINGAUD, « *Dans le Labyrinthe* », *Les Lettres nouvelles,* 7 octobre 1959.

Renato BARILLI, « *Dans le Labyrinthe* », *Il Verri,* III, 6 (décembre 1959).

Juan GOYTISOLO, *Problemas de la novela,* Barcelona, 1959 (contient un chapitre sur Robbe-Grillet).

Yves BERGER, « *Dans le Labyrinthe* », *N.R.F.*, janvier 1960.

Otto HAHN, « Plan du labyrinthe de Robbe-Grillet », *Les Temps modernes,* juillet 1960.

Philippe SOLLERS, « Sept propositions sur Alain Robbe-Grillet », *Tel Quel,* été 1960.

Jean RICARDOU, « Description et infraconscience chez Alain Robbe-Grillet », *N.R.F.*, novembre 1960.

Gerda ZELTNER, *Das Wagnis des französischen Gegenwartromans,* Rowohlt, 1960.

Edouard LOP et André SAUVAGE, « Essai sur le Nouveau Roman », en trois parties, *La Nouvelle Critique,* n°s 124, 125 et 127 (mars, avril et juin 1961).

Minne G. DE BOER, « Essai d'interprétation du *Voyeur* de Robbe-Grillet », *Bulletin des Jeunes Romanistes* (Strasbourg), mai 1961.

Bruce MORRISSETTE, « Roman et Cinéma : le cas de Robbe-Grillet », *Symposium*, été 1961.

Claude OLLIER, « Ce Soir à Marienbad », *N.R.F.*, octobre et novembre 1961.

Jean RICARDOU, « Aspects de la description créatrice », *Médiations*, automne 1961.

Bernard PINGAUD, « Alain Resnais », *Premier plan*, n° 18 (automne 1961).

Gérard BONNOT, « *Marienbad* ou le parti de Dieu », *Les Temps modernes*, décembre 1961.

Renato BARILLI, *Una Via per il romanzo futuro* : gli scritti teorici de Alain Robbe-Grillet, Milan, Rusconi e Paolazzi, 1961. Anthologie avec une importante introduction.

Lucien GOLDMANN, « Les deux avant-gardes », *Médiations*, n° 4 (hiver 1961-1962).

Hazel BARNES, « The Ins and Outs of Robbe-Grillet », *Chicago Review*, hiver 1961-1962.

Gérard GENETTE, « Sur Robbe-Grillet », *Tel Quel*, n° 8 (hiver 1962).

J.-G. WEIGHTMAN, « Alain Robbe-Grillet », *Encounter*, March 1962. (Article repris dans *The Novelist as Philosopher*, Oxford University Press, 1962.)

Bruce MORRISSETTE, « De Stendhal à Robbe-Grillet : Modalités du *point de vue* », *Cahiers de l'association internationale des études françaises*, n° 14 (juin 1962).

Bernard PINGAUD, « La Technique de la description dans le jeune roman d'aujourd'hui », *Cahiers de l'association internationale des études françaises*, n° 14 (juin 1962).

TABLE DES MATIERES

CET OUVRAGE A ÉTÉ ACHEVÉ D'IMPRIMER LE 20 JANVIER 1963, SUR LES PRESSES DE L'IMPRIMERIE JACQUES ET DEMONTROND A BESANÇON ET INSCRIT DANS LES REGISTRES DE L'ÉDITEUR SOUS LE NUMÉRO 485

Dépôt légal 1er trimestre 1963 : n° 6880.

Imprimé en France